A FILHA PERDIDA

Elena Ferrante

A filha perdida

Tradução de Marcello Lino

Copyright © 2006 by Edizioni e/o
Publicado mediante acordo com The Ella Sher Literary Agency,
www.ellasher.com

TÍTULO ORIGINAL
La Figlia Oscura

PREPARAÇÃO
Juliana de Paiva Ferreira

REVISÃO
Rayana Faria

DIAGRAMAÇÃO
ô de casa

CAPA
Angelo Allevato Bottino

IMAGEM DE CAPA
Andy Bridge/Getty Images

CIP-BRASIL. CATALOGAÇÃO-NA-FONTE
SINDICATO NACIONAL DOS EDITORES DE LIVROS, RJ

F423f

Ferrante, Elena
    A filha perdida / Elena Ferrante ; tradução Marcello Lino. - 1. ed. - Rio de Janeiro : Intrínseca, 2016.
    176 p. ; 21 cm.

    Tradução de: La figlia oscura
    ISBN 978-85-510-0032-8

    1. Romance italiano. I. Lino, Marcello. II. Título.

16-35014   CDD: 853
                                CDU: 821.131.3-3

[2016]

Todos os direitos desta edição reservados à
Editora Intrínseca Ltda.
Av. das Américas, 500, bloco 12, sala 303
22640-904 – Barra da Tijuca
Rio de Janeiro – RJ
Tel./Fax: (21) 3206-7400
www.intrinseca.com.br

1

Eu estava dirigindo havia menos de uma hora quando comecei a passar mal. A queimação na lateral do corpo reapareceu, mas de início decidi não dar importância àquele sinal. Só me preocupei quando percebi que não tinha mais forças para segurar o volante. Em poucos minutos, minha cabeça ficou pesada, os faróis me pareceram cada vez mais fracos e logo esqueci até que estava dirigindo. Em vez disso, tive a impressão de que estava no mar, em pleno dia. A praia estava vazia, e a água, calma, mas em um mastro a poucos metros da orla tremulava a bandeira vermelha. Quando eu era pequena, minha mãe me colocava muito medo, dizendo: Leda, você nunca deve entrar no mar se vir a bandeira vermelha, pois significa que o mar está muito agitado e que pode se afogar. O medo perdurou ao longo dos anos e, ainda hoje, mesmo que a água parecesse uma folha de papel translúcida que se esticava até o horizonte, eu não ousava mergulhar. Sentia-me ansiosa. Dizia a mim mesma: vá, mergulhe; devem ter esquecido a bandeira no mastro. E, enquanto isso, eu ficava na beirada testando cuidadosamente a água com a ponta do pé. Minha mãe, só de vez em quando, aparecia no topo das dunas e gritava comigo como se eu ainda fosse uma menina: Leda, o que você está fazendo? Não viu a bandeira vermelha?

No hospital, quando abri os olhos, me vi novamente, por uma fração de segundo, incerta diante do mar calmo. Talvez por isso, mais tarde, tenha me convencido de que não se tratava de um sonho, mas de um devaneio de pavor, que durou até que eu acordasse na enfermaria. Soube pelos médicos que eu havia batido na barra de proteção da estrada, mas sem graves consequências. O único ferimento sério era uma lesão inexplicável no lado esquerdo do corpo.

Meus amigos de Florença foram me visitar; Bianca e Marta voltaram, e até mesmo Gianni. Falei que o sono é que me fizera sair da estrada. Mas eu sabia perfeitamente que esse não fora o verdadeiro motivo. O motivo havia sido um gesto sem sentido, sobre o qual, justamente por ser sem sentido, decidi não contar a ninguém. As coisas mais difíceis de falar são as que nós mesmos não conseguimos entender.

2

Quando minhas filhas se mudaram para Toronto, onde o pai vivia e trabalhava havia anos, descobri, com um deslumbre constrangedor, que eu não sentia tristeza alguma — pelo contrário, estava leve, como se só então as tivesse definitivamente posto no mundo. Pela primeira vez em quase vinte e cinco anos, não senti mais aquela ansiedade por ter que tomar conta delas. A casa estava arrumada, como se ninguém morasse ali, eu não precisava mais me preocupar o tempo todo em fazer compras ou lavar a roupa suja, a mulher que havia anos me ajudava nas tarefas domésticas conseguiu um trabalho mais rentável, e não senti necessidade de substituí-la.

Meu único compromisso em relação às garotas era ligar uma vez por dia para saber como estavam, o que faziam. Pelo telefone, elas falavam como se já morassem sozinhas; na verdade, viviam com o pai, mas, acostumadas a nos manter separados também nas palavras, conversavam comigo como se ele não existisse. Às minhas perguntas sobre como andavam suas vidas, respondiam de maneira alegre e evasiva, ou com um mau humor cheio de pausas enraivecidas, ou usando os tons de voz artificiais que assumiam quando estavam na companhia de amigos. Elas também me procuravam com frequência, sobretudo Bianca, que tinha comigo uma relação mais imperiosamente exigente, mas só para saber se sapatos azuis combinavam com uma saia laranja, se eu podia encontrar alguns papéis deixados dentro de um livro e enviá-los com urgência, se eu continuava disposta a permitir que elas descarregassem sobre mim todas as suas raivas e infelicidades, apesar dos continentes diferentes e do vasto céu que nos separava. Os telefonemas eram quase sempre apressados, às vezes pareciam falsos, como no cinema.

Eu fazia o que me pediam, reagia de acordo com as expectativas delas. Mas, como a distância me impedia fisicamente de intervir de maneira direta na existência delas, satisfazer seus desejos e caprichos se tornou uma série de gestos rarefeitos e irresponsáveis, cada pedido me parecendo leve, cada incumbência que lhes dizia respeito, um hábito afetuoso. Senti-me milagrosamente desvinculada, como se um trabalho difícil, enfim concluído, não fosse mais um peso sobre os meus ombros.

Comecei a trabalhar sem me preocupar com os horários e as necessidades delas. Eu corrigia os trabalhos dos meus alunos à noite, ouvindo música, dormia muito à tarde, usando protetores de ouvido, comia uma vez por dia e sempre em uma trattoria ao lado de casa. Mudei rapidamente o comportamento, o humor, a aparência física. Na universidade, os jovens que eram burros demais ou inteligentes demais já não me irritavam. Um colega que eu conhecia havia anos e com o qual, às vezes, raramente, ia para a cama, me disse perplexo certa noite que eu tinha me tornado menos distraída, mais generosa. Em poucos meses, recuperei o corpo magro da juventude e adquiri uma sensação de força suave. Parecia que meus pensamentos haviam retornado à velocidade certa. Uma noite, me olhei no espelho. Eu tinha quarenta e sete anos, completaria quarenta e oito dali a quatro meses, porém, como em um passe de mágica, tinha rejuvenescido muitos anos. Não sei se aquilo me agradou, mas certamente me surpreendeu.

Foi com essa estranha sensação de bem-estar que, com a chegada do mês de junho, senti vontade de tirar férias, e decidi que iria para alguma praia assim que as provas e as aporrinhações burocráticas tivessem terminado. Pesquisei na internet, examinei fotos e preços. Acabei alugando, da metade de julho até o fim de agosto, um apartamento minúsculo e relativamente barato na costa jônica. Na verdade, não consegui partir até 24 de julho. Fiz uma viagem tranquila, levando no carro sobretudo livros necessários para preparar as aulas do próximo semestre. O dia estava lindo, e pelas janelas abertas entrava uma brisa carregada com o perfume dos dias secos. Eu me sentia livre, e sem culpa por isso.

Porém, na metade do caminho, enquanto eu abastecia o carro, fui repentinamente atacada pela ansiedade. No passado, eu gostava muito do mar, mas havia pelo menos quinze anos que tomar sol me deixava nervosa, me cansava rápido. O apartamento com certeza se revelaria ruim, e a vista, uma nesga de azul distante entre casas pobres e esquálidas. Eu não pregaria os olhos por causa do calor e da música alta vinda de alguma boate. Percorri o resto do caminho com uma ponta de mau humor e com a ideia de que, em casa, eu poderia trabalhar confortavelmente durante todo o verão, respirando ar condicionado no silêncio do meu apartamento.

Quando cheguei, o sol já estava se pondo. A cidadezinha me pareceu bonita, as vozes tinham uma cadência prazerosa, havia aromas agradáveis. À minha espera estava um homem idoso com uma basta cabeleira branca que se mostrou respeitosamente cordial. Antes de mais nada, ele me ofereceu um café no bar, depois, com um misto de sorrisos e gestos sinceros, impediu-me de levar até a casa uma única bolsa que fosse. Carregando minhas malas, subiu, arfando, até o terceiro e último andar, e deixou as bagagens na soleira de uma pequena cobertura: um quarto, uma cozinha minúscula e sem janelas que dava diretamente no banheiro, uma sala com grandes janelas e um terraço, do qual se via, no crepúsculo, uma costa que era uma sucessão de penhascos rochosos e um mar infinito.

O homem se chamava Giovanni e não era o dono do apartamento, mas uma espécie de zelador ou faz-tudo. Porém, não aceitou gorjeta — aliás, quase se ofendeu, como se eu não tivesse entendido que ele apenas estava seguindo as regras da boa acolhida. Quando, depois de ter se certificado várias vezes de que tudo estava de meu agrado, ele se retirou, descobri que, na mesa da sala, havia uma grande bandeja com pêssegos, ameixas, peras, uvas e figos. A bandeja brilhava como em uma natureza-morta.

Levei uma pequena poltrona de vime para o terraço, onde fiquei sentada por algum tempo olhando a noite que caía lentamente sobre o mar. Durante anos, todas as férias haviam sido em função das duas meninas e, quando elas já estavam grandes e começaram a viajar pelo mundo com os amigos, eu sempre ficava em casa esperando que voltassem. Eu me preocupava não apenas com catástrofes de todo tipo (os perigos das viagens aéreas, das viagens pelo mar, as guerras, os terremotos, os maremotos), mas também com os nervos frágeis delas, as possíveis tensões com os companheiros de viagem, os dramas sentimentais por causa de amores correspondidos muito facilmente ou nem um pouco correspondidos. Eu queria estar pronta para lidar com pedidos repentinos de ajuda, temia que me acusassem de ser como eu de fato era: distraída ou ausente, absorta em mim mesma. Chega. Levantei-me, fui tomar banho.

Depois senti fome e voltei à bandeja de frutas. Descobri que, por baixo da bela aparência, figos, peras, ameixas, pêssegos e uvas estavam velhos ou podres. Peguei uma faca, retirei grandes partes escuras, mas o cheiro e o sabor me causaram nojo, e joguei quase tudo na lata de lixo. Eu podia sair, procurar um restaurante, mas abri mão de comer por conta do cansaço; estava com sono.

No quarto, havia duas janelas grandes, escancarei-as, apaguei as luzes. Vi que do lado de fora, de vez em quando, a luz do farol explodia na escuridão e invadia, por poucos segundos, o cômodo. Nunca se deve chegar à noite em um lugar desconhecido: tudo é indefinido, todas as coisas dão uma impressão negativa. Deitei-me na cama com o roupão e os cabelos úmidos e fiquei olhando para o teto, esperando o momento em que ele se tornaria branco por causa da luz. Escutei o barulho distante de um motor de popa e uma música indistinta que parecia um miado. Eu não tinha silhueta. Virei-me sonolenta e rocei em algo no travesseiro que me pareceu um objeto frio, feito de papel de seda.

Acendi a luz. Sobre o tecido branquíssimo da fronha estava um inseto com três ou quatro centímetros de comprimento que parecia uma grande mosca. Tinha asas membranosas, era marrom-escuro e não se movia. Disse a mim mesma: é uma cigarra, talvez seu abdome tenha explodido em meu travesseiro. Toquei de leve nela com a borda do roupão, ela se mexeu e aquietou-se logo. Macho, fêmea. O ventre da fêmea não tem membranas elásticas, não canta, é mudo. Tive nojo. A cigarra pica as oliveiras e deixa que o maná goteje na casca do freixo. Peguei cuidadosamente o travesseiro, fui até uma das janelas e joguei o inseto para fora. Minhas férias começaram assim.

3

No dia seguinte, pus na bolsa maiô, toalhas, livros, fotocópias, cadernos, entrei no carro e saí em busca de uma praia e do mar ao longo da estrada que margeava a costa. Depois de uns vinte minutos, surgiu à minha direita um pinheiral; vi uma placa de estacionamento e parei. Carregando minhas coisas, passei por cima da barra de proteção da estrada e avancei por uma trilha avermelhada pelas agulhas caídas dos pinheiros.

 Adoro o cheiro de resina: quando criança, passei verões em praias ainda não totalmente devoradas pelo cimento da Camorra, que começavam quando terminava o pinheiral. Aquele era o cheiro de férias, de brincadeiras infantis de verão. Cada estalo ou ruído surdo de pinha seca e a cor escura dos pinhões me lembram a boca da minha mãe, que ria enquanto esmagava as cascas, extraía os frutos amarelinhos e os dava para minhas irmãs, que os pediam ruidosamente, e para mim, que os esperava calada. Ou então os comia ela mesma, sujando os lábios de pó escuro e dizendo, para me ensinar a ser menos tímida: para você, nada, você é pior do que uma pinha verde.

O pinheiral era bastante cerrado, com uma mata intricada, e os troncos crescidos sob o impacto do vento pareciam estar prestes a cair para trás com medo de algo que vinha do mar. Tomei cuidado para não tropeçar nas raízes brilhosas que atravessavam a trilha e refreei a repulsa que sentia dos lagartos empoeirados que, quando eu passava, deixavam os pontos ensolarados e fugiam em busca de abrigo. Caminhei durante não mais do que cinco minutos, depois surgiram as dunas e o mar. Passei ao lado de troncos tortos de eucaliptos que nasciam da areia, andei por uma passarela de madeira entre juncos verdes e oleandros e cheguei a um quiosque limpo e impecável.

O lugar logo me agradou. Fui tranquilizada pela gentileza do homem moreno no balcão, pela meiguice do jovem salva-vidas nada musculoso, alto e muito magro, de camiseta e calção vermelhos, que me acompanhou até um guarda-sol. A areia era um pó branco. Dei um mergulho demorado na água transparente e tomei um pouco de sol. Depois me acomodei na sombra com meus livros e trabalhei tranquilamente até o sol se pôr, aproveitando a brisa e as rápidas mudanças do mar. O dia correu com uma mistura tão serena de trabalho, devaneios e ócio que decidi voltar sempre para aquele lugar.

Em menos de uma semana, tudo havia se transformado em uma rotina tranquila. Eu atravessava o pinheiral e apreciava o estalido das pinhas que se abriam ao sol, o sabor de certas folhinhas verdes que pareciam murta, os pedaços de casca de árvore que se soltavam dos eucaliptos. Ao longo da trilha, eu imaginava o inverno, o pinheiral gelado por entre a neblina, a brusca que dava suas bagas vermelhas. Todos os dias, assim que eu chegava, o homem do caixa me recebia com cordial satisfação. Eu tomava um café no bar, uma água mineral. O salva-vidas, que se chamava Gino e com certeza era estudante, abria solicitamente o guarda-sol e a espreguiçadeira para mim, depois ia para a sombra — os lábios grandes entreabertos, os olhos atentos —, sublinhar a lápis as páginas de um grosso tomo para sabe-se lá qual prova.

Olhar para aquele rapaz me enternecia. Geralmente eu dormia enquanto secava ao sol, mas às vezes não conseguia adormecer: eu fechava ligeiramente os olhos e o observava com simpatia, tomando cuidado para que ele não percebesse. Não parecia tranquilo; retorcia sempre o corpo belo e nervoso, com uma das mãos despenteava os cabelos muito negros, ficava mexendo no queixo. Teria agradado bastante a minhas filhas, sobretudo a Marta, que se apaixonava facilmente por rapazes magros e agitados. Já a mim, quem sabe... Percebi há muito tempo que conservo pouco de mim e tudo delas. Até para Gino, naquele momento, eu olhava com o filtro das experiências de Bianca e Marta, de acordo com os gostos e paixões que eu imaginava serem os delas.

O jovem estudava, mas parecia ter sensores independentes da visão. Bastava eu me mexer para levar a espreguiçadeira do sol para a sombra, e ele se punha de pé, me perguntava se precisava de ajuda. Eu sorria, fazia que não, que esforço era deslocar uma espreguiçadeira? Já era suficiente me sentir protegida, sem prazos a cumprir, sem urgências a enfrentar. Ninguém dependia mais dos meus cuidados, e finalmente eu não era mais um peso para mim mesma.

4

A jovem mãe e sua filha eu só notei mais tarde. Não sei se estavam ali desde o meu primeiro dia na praia ou se apareceram depois. Nos três ou quatro dias após minha chegada, só prestei atenção a um grupo um pouco barulhento de napolitanos: crianças, adultos, um homem de uns sessenta anos com expressão cruel, quatro ou cinco meninos que se enfrentavam ferozmente dentro da água e fora dela, uma mulher grande com pernas curtas e seios enormes, que tinha menos de quarenta anos, talvez, e se deslocava com frequência da praia ao bar e vice-versa, arrastando com dificuldade uma barriga de grávida, o arco grande e nu alongado entre as duas peças do traje de banho. Eram todos da mesma família, pais, avós, filhos, netos, primos, cunhados, e riam com gargalhadas ruidosas. Chamavam-se pelo nome com gritos arrastados, lançavam uns aos outros frases exclamativas ou conspiratórias e, às vezes brigavam: uma família grande, semelhante àquela da qual eu fizera parte quando criança, as mesmas brincadeiras, as mesmas pieguices, as mesmas fúrias.

Um dia, levantei os olhos do livro e as vi pela primeira vez: a mulher extremamente jovem e a menina. Estavam voltando do mar em direção ao guarda-sol; ela, com não mais do que vinte anos, a cabeça baixa, e a garotinha, de três ou quatro anos, fitando-a de baixo, encantada, enquanto segurava uma boneca da mesma maneira que uma mãe carrega uma criança no colo. Conversavam tranquilamente, como se apenas elas existissem. De sua barraca, a mulher grávida gritava algo na direção das duas, irritada, e uma senhora grande e grisalha, de uns cinquenta anos, vestida dos pés à cabeça, talvez a mãe, dava acenos descontentes, desaprovando não sei o quê. Mas a moça parecia surda e cega, continuava falando com a menina e saía do mar com passos comedidos, deixando na areia a sombra escura das pegadas.

Elas também faziam parte da família grande e barulhenta, mas a jovem mãe, vista assim à distância, com seu corpo esbelto, o maiô escolhido com muito bom gosto, o pescoço esguio, a cabeça graciosa e os cabelos longos e ondulados de um negro brilhante, o rosto indiano com as maçãs salientes, as sobrancelhas marcadas e os olhos oblíquos, pareceu-me uma anomalia naquele grupo, um organismo que misteriosamente fugira à regra, a vítima, agora conformada, de um sequestro ou de uma troca de bebês.

A partir daquele momento, adquiri o hábito de olhar de vez em quando na direção delas.

A garotinha tinha algo em desarmonia, mas eu não sabia o quê, se uma tristeza infantil, talvez, ou uma doença silenciosa. Todo o rosto pedia permanentemente à mãe que ficassem juntas: uma súplica sem prantos nem caprichos, e a mãe não se esquivava. Certa vez, notei a ternura com que passava protetor solar na filha. Em outra ocasião, impressionou-me o tempo que mãe e filha permaneciam juntas na água sem pressa alguma, a mãe apertando a menina contra si, a menina com os braços em volta do pescoço da mãe. Riam entre elas, aproveitando o prazer de sentir um corpo no outro, de roçar os narizes, de espirrar água uma na outra, de dar beijinhos uma na outra. Uma vez, eu as vi brincarem juntas com a boneca. Divertiam-se muito: vestiam-na, despiam-na, fingiam untá-la de protetor solar, davam-lhe banho dentro de um baldinho verde, secavam-na com a toalha, esfregando-a para que não ficasse com frio, apertavam-na no peito como se a estivessem amamentando ou entupiam-na de papinhas de areia, mantinham-na ao sol ao lado delas, deitada na mesma toalha das duas. A moça, já bonita por natureza, distinguia-se com aquele seu jeito de ser mãe; parecia não querer nada mais além da menina.

Não que ela não estivesse bem integrada àquela grande família. Conversava muito com a mulher grávida, jogava cartas com alguns jovens da sua idade, bronzeados de sol, primos, acho, passeava à beira-mar com o homem idoso de ar feroz (seu pai?) ou com jovens mulheres ruidosas, irmãs, primas, cunhadas. Não me pareceu que tivesse um marido ou alguém que fosse visivelmente o pai da criança. Porém notei que todos os integrantes da família cuidavam dela e da pequena com afeto. A mulher grande e grisalha com seus cinquenta anos a acompanhava ao bar para comprar sorvete para a menina. Os garotos, a uma chamada brusca dela, interrompiam as brigas e, ainda que bufando, iam buscar água, comida, o que ela precisasse. Assim que mãe e filha se afastavam poucos metros da costa em um bote vermelho e azul, a mulher grávida gritava Nina, Lenù, Ninetta, Lena, e corria, ofegando, em direção à orla, alarmando até o salva-vidas, que se levantava de um salto para observar melhor a situação. Certa vez, dois sujeitos queriam puxar conversa e se aproximaram da moça; os primos logo intervieram e começaram uma série de empurrões e palavrões que quase terminou em socos.

Durante algum tempo, eu não soube se era a mãe ou a filha que se chamava Nina, Ninù, Ninè, os nomes eram muitos e foi difícil, em meio à densa trama de chamados, chegar a uma conclusão. Depois, de tanto ouvir vozes e gritos, entendi que Nina era a mãe. Com a menina foi mais complicado, e no início me confundi. Achei que ela tivesse um apelido tipo Nani ou Nena ou Nennella, mas depois compreendi que aqueles eram os nomes da boneca, da qual a menina nunca se separava e à qual Nina dava atenção como se estivesse viva, quase uma segunda filha. A menina na verdade se chamava Elena, Lenù; a mãe sempre a chamava de Elena, e, os parentes, de Lenù.

Não sei por quê, mas anotei aqueles nomes no meu caderno, Elena, Nani, Nena, Leni — talvez eu gostasse da forma como Nina os pronunciava. Ela se dirigia à menina e à boneca em uma cadência dialetal agradável, aquele napolitano que eu adoro, afetuoso nas brincadeiras e nos momentos de alegria. As línguas, para mim, têm um veneno secreto que de vez em quando aflora e para o qual não há antídoto. Lembro-me do dialeto na boca de minha mãe quando perdia a cadência meiga e gritava conosco, intoxicada pela infelicidade: não aguento mais vocês, não aguento mais. Ordens, gritos, insultos, um prolongamento da vida nas suas palavras, como um nervo lesionado que, assim que é tocado, arranca junto com a dor qualquer compostura. Em uma, duas, três ocasiões ameaçou a nós, suas filhas, dizendo que iria embora, vocês vão acordar de manhã e não vão mais me encontrar. Eu acordava todos os dias tremendo de medo. Na verdade, ela sempre estava lá; nas palavras, vivia sumindo de casa. Aquela mulher, Nina, parecia serena, e eu senti inveja.

5

Quase uma semana inteira de férias já havia passado: tempo bom, uma brisa leve, muitos guarda-sóis vazios, cadências de dialetos de toda a Itália misturadas ao dialeto local e a alguns idiomas de estrangeiros que aproveitavam o sol.

Então chegou o sábado, e a praia ficou cheia. Meu pedaço de sombra e de sol foi invadido por caixas térmicas, baldes, pazinhas, boias de braço, boias redondas, raquetes. Desisti de ler e procurei Nina e Elena na multidão como se fossem um espetáculo para passar o tempo.

Demorei a encontrá-las e percebi que haviam arrastado a espreguiçadeira para ficarem a poucos metros do mar. Nina estava deitada de bruços, sob o sol, e ao seu lado, na mesma posição, ao que me parecia, estava a boneca. Já a menina ia até a beirada da água com um regador de plástico amarelo, enchia-

-o de água e, segurando-o com as duas mãos por causa do peso, bufando e rindo, voltava até a mãe para lhe molhar o corpo e atenuar o calor. Quando o regador esvaziava, voltava a enchê-lo, o mesmo percurso, o mesmo cansaço, a mesma brincadeira.

Talvez eu tivesse dormido mal, talvez algum pensamento ruim tivesse passado pela minha cabeça sem que eu percebesse. O certo é que, ao vê-las naquela manhã, fiquei incomodada. Elena, por exemplo, me pareceu obtusamente metódica; regava os tornozelos da mãe primeiro, os da boneca em seguida, perguntava às duas se era suficiente, ambas respondiam que não, ela partia novamente. Nina, por sua vez, me pareceu afetada; miava de prazer, repetia o miado com um tom de voz diferente, como se saísse da boca da boneca, e suspirava: mais, mais. Suspeitei de que estivesse encenando o papel de mãe jovem e bela não por amor à filha, mas para nós, a multidão da praia, todos nós, mulheres e homens, jovens e idosos.

O corpo de Nina e o da boneca foram regados por muito tempo. Ela ficou toda brilhosa de água, as agulhas luminosas que jorravam do regador também molharam seus cabelos, que grudaram na cabeça e na testa. Nani ou Nile ou Nena, a boneca, era irrigada com a mesma perseverança, mas absorvia menos água, que, por isso, escorria do plástico azul da espreguiçadeira até a areia, escurecendo-a.

Eu encarava a menina no seu vaivém e não sabia o que havia de errado, talvez a brincadeira com a água ou o prazer ostentado por Nina ao sol. Ou as vozes, sim, sobretudo as vozes que mãe e filha atribuíam à boneca. Uma hora faziam a voz alternadamente, depois juntas, sobrepondo o tom infantil falso da adulta e o tom adulto falso da criança. Imaginavam que fosse uma única voz saindo da mesma garganta de uma coisa que, na verdade, era muda. Mas era evidente que eu não conseguia entrar na ilusão delas, sentia por aquela voz dupla uma repulsa cada vez maior. Claro, eu, a uma certa distância, não tinha nada a ver com a encenação, podia acompanhar a brincadeira ou ignorá-la, era apenas um passatempo. Mas me sentia desconfortável como se estivesse diante de algo malfeito, como se parte de mim exigisse intensamente que elas se decidissem e dessem à boneca uma voz estável, constante, a da mãe ou a da filha, chega de fingir que eram a mesma coisa.

Foi como o que acontece com uma fisgada leve quando, de tanto se pensar nela, acaba se tornando uma dor insuportável. Comecei a me sentir exasperada. A certa altura, tive vontade de me levantar, seguir uma linha oblíqua até a espreguiçadeira onde elas brincavam, parar e dizer chega, vocês não sabem brincar, acabem com isso. Cheguei até a sair do guarda-sol com aquele objetivo, eu não aguentava mais. Naturalmente, não disse nada, prossegui olhando para a frente. Pensei: está quente demais, sempre detestei ficar em lugares cheios, todos falando com os mesmos sons modulados, mexendo-se pelos mesmos motivos, fazendo as mesmas coisas. Atribuí à praia do fim de semana minha repentina irritação e decidi pôr os pés na água.

6

Por volta do meio-dia, aconteceu um fato novo. Eu estava cochilando na sombra, embora a música que emanava do quiosque estivesse alta demais, quando ouvi a mulher grávida chamar Nina como se para anunciar algo extraordinário.

Abri os olhos, notei que a moça estava pegando a filha no colo e apontando para algo ou alguém às minhas costas com grande alegria. Virei-me, vi um homem atarracado, pesado, entre os trinta e os quarenta anos, que atravessava a passarela de madeira, com cabelos totalmente raspados, regata preta justíssima que segurava uma barriga volumosa sobre o calção de banho verde. A menina o reconheceu e acenou para cumprimentá-lo, mas com nervosismo, rindo e escondendo timidamente o rosto entre o pescoço e o ombro da mãe. O homem permaneceu sério e apenas esboçou um cumprimento com a mão. O rosto era bonito, os olhos, intensos. Parou sem pressa para cumprimentar o gerente, deu um tapinha afetuoso no jovem salva-vidas, que na mesma hora havia corrido ao seu encontro, e, enquanto isso, um séquito de homens grandes e joviais também parou, todos já com roupa de banho, um de mochila nas costas, outro com uma caixa térmica, outro ainda com dois ou três pacotes que, pelas fitas e laços, deviam ser presentes. Quando o homem enfim desceu até a praia, Nina foi ao encontro dele com a menina, interrompendo novamente o pequeno cortejo. Ele, sempre sério, com gestos tranquilos, antes de mais nada tirou-lhe do colo Elena, que lhe abraçou o pescoço e lhe deu vários beijinhos ansiosos nas bochechas. Depois, sempre oferecendo a bochecha para a menina, pegou Nina pela nuca, quase obrigando-a a se curvar — ele era pelo menos dez centímetros mais baixo do que ela —, e roçou rapidamente os lábios dela, com a discreta autoridade de um proprietário.

Concluí que havia chegado o pai de Elena, marido de Nina. Entre os napolitanos, logo se fez uma espécie de festa, agruparam-se em volta dele até alcançarem o meu guarda-sol. Vi que a menina abria presentes e Nina experimentava um chapéu de palha feio. Em seguida, o recém-chegado apontou para algo no mar, uma lancha branca. O idoso de aparência cruel, os garotos, a mulher grisalha e grande, os primos e as primas amontoaram-se à beira do mar gritando e agitando os braços em saudação. A lancha ultrapassou a linha das boias vermelhas, ziguezagueou entre os banhistas, atravessou a linha das boias brancas e se aproximou, com o motor ligado, entre as crianças e idosos que estavam se banhando em um metro de água. Logo dela saltaram homens pesados com rostos exaustos, mulheres de riqueza descomunal, garotinhos obesos. Abraços, beijos no rosto, Nina perdeu o chapéu, o vento o levou embora. O marido, como um animal imóvel que, ao primeiro sinal de perigo, salta com força e decisão inesperadas, mesmo segurando a menina no colo, pegou o chapéu no ar antes que fosse parar na água e o devolveu à esposa. Ela o pôs na cabeça com mais cuidado. O chapéu de repente me pareceu bonito e senti uma irracional pontada de desconforto.

A confusão aumentou. Os recém-chegados estavam evidentemente insatisfeitos com a disposição dos guarda-sóis. O marido chamou Gino, e veio também o gerente do quiosque. Pareceu-me que queriam ficar todos juntos, o grupo familiar que lá vivia e os visitantes, formando uma trincheira compacta de espreguiçadeiras e cadeiras e mantimentos e crianças e adultos em completa alegria. Apontavam na minha direção, onde havia duas barracas de praia livres; gesticulavam muito, especialmente a mulher grávida, que, a certa altura, começou a pedir aos vizinhos que se deslocassem, passassem de uma barraca para outra, como acontece quando alguém, no cinema, pergunta se, por favor, você poderia pular algumas poltronas.

Criou-se um clima de brincadeira. Os banhistas vacilavam, não queriam mudar as coisas de lugar, mas as crianças e os adultos da família napolitana já estavam se encarregando daquela tarefa com jovialidade e, no fim, a maioria se deslocou quase de bom grado.

Abri um livro, mas, àquela altura, já estava me sentindo dentro de um emaranhado de sentimentos amargos que, a cada som impactante, cor ou cheiro, amargavam ainda mais. Aquela gente me irritava. Eu havia nascido em um ambiente como aquele, meus tios, meus primos, meu pai, todos agiam daquela maneira, com uma cordialidade prepotente. Eram cerimoniosos, em geral muito sociáveis, e cada pedido que saía de sua boca soava como uma ordem ligeiramente disfarçada de falsa bondade e, quando necessário, sabiam ser vulgarmente ofensivos e violentos. Minha mãe se envergonhava da natureza rude do meu pai e dos parentes dele, queria ser diferente, fingia, dentro daquele mundo, ser a dama bem-vestida e de bons modos. Mas, ao primeiro conflito, a máscara caía e ela também aderia ao comportamento, à linguagem dos outros, com uma violência semelhante. Eu a observava, surpresa e decepcionada, e planejava não ser como ela, tornar-me realmente diferente e demonstrar-lhe, desse modo, que era inútil e ruim que ela nos assustasse com seus "vocês nunca mais vão me ver". Era preciso que ela mudasse mesmo, ou que realmente fosse embora de casa, que nos abandonasse, que desaparecesse. Como eu sofria por ela e por mim, como eu me envergonhava de ter saído da barriga de alguém tão infeliz. Aquele pensamento, ali em meio à confusão da praia, me deixou ainda mais nervosa, e a irritação pelos modos daquela gente aumentou, junto a uma ponta de angústia.

Enquanto isso, o processo de troca de barracas esbarrara em um obstáculo. Havia uma pequena família com a qual a mulher grávida não conseguia se entender; outro idioma, estrangeiros, queriam permanecer embaixo do guarda-sol deles. Tentaram convencê-los as crianças, os primos sombrios, o velho carrancudo, e nada. Depois, percebi que estavam falando com Gino, olhavam na minha direção. O salva-vidas e a grávida se dirigiram para onde eu estava como se fossem uma delegação.

O jovem, constrangido, apontou para os estrangeiros — pai, mãe, dois filhos pequenos. Chamou-os de alemães, perguntou se eu falava a língua deles, se eu aceitaria servir de intérprete, e a mulher, mantendo uma das mãos atrás das costas e projetando a barriga nua para a frente, acrescentou em dialeto que não era possível se entender com aquela gente, eu devia lhes dizer que bastava eles mudarem de barraca, só isso, para permitir que ficassem todos juntos, amigos e parentes, pois estavam dando uma festa.

Fiz um sinal frio de assentimento para Gino e fui falar com os alemães, que se revelaram holandeses. Senti o olhar de Nina sobre mim, falei com voz alta e segura. Desde as primeiras palavras, senti, não sei por quê, uma vontade de ostentar minhas habilidades, e conversei com gosto. O chefe da família se convenceu, o ambiente voltou a ficar amistoso, holandeses e napolitanos confraternizaram. Ao voltar à minha barraca, passei ao lado de Nina de propósito e, pela primeira vez, a vi de perto. Pareceu-me menos bonita, não tão jovem, a depilação da virilha estava malfeita, a menina que ela segurava no colo tinha um olho irritado e muito vermelho e a testa cheia de brotoejas, a boneca era feia e estava suja. Voltei ao meu lugar, por fora parecia calma, mas estava muito agitada.

Tentei retomar a leitura, não consegui. Não pensei no que dissera aos holandeses, mas no tom que havia usado com eles. Fiquei em dúvida se tinha, sem querer, sido a mensageira daquele caos prepotente, se havia traduzido para outro idioma a substância daquela grosseria. Àquela altura, eu estava com raiva dos napolitanos, de mim mesma. Por isso, quando a grávida apontou para mim com uma careta de sofrimento e, dirigindo-

-se às crianças, aos homens, a Gino, gritou: essa senhora também precisa mudar de lugar — não é verdade? A senhora não vai mudar de lugar? —, respondi bruscamente, com uma seriedade hostil: não, estou bem aqui, lamento, mas não estou com vontade nenhuma de mudar de lugar.

7

Fui embora ao pôr do sol, como de costume, porém tensa, amargurada. Depois da minha recusa, a mulher grávida insistira, o tom de voz cada vez mais agressivo. O homem idoso se aproximara para dizer frases do tipo o que custa, hoje a senhora nos faz um favor e amanhã nós retribuímos. Mas tudo durou apenas alguns minutos, talvez eu nem tenha tido tempo de dizer outro não com clareza, e me limitei a negar com a cabeça. A questão foi encerrada por uma frase brusca do marido de Nina, palavras pronunciadas à distância, mas com força: chega, disse ele, estamos bem assim, deixem a senhora em paz. E todos recuaram, o salva-vidas por último, murmurando um pedido de desculpas e voltando ao seu lugar.

Enquanto fiquei na praia, fingi ler. Na verdade, eu ouvia, como se estivesse amplificado, o dialeto do clã, seus gritos, as risadas, e aquilo impedia que eu me concentrasse. Festejavam algo, comiam, bebiam, cantavam, pareciam acreditar que só havia eles na praia ou que nós, de alguma maneira, tivéssemos apenas o dever de nos comprazer com a felicidade de seu grupo. Das provisões que tinham sido trazidas na lancha, emergiram coisas de todo tipo, uma lauta refeição que durou algumas horas, com vinho, doces, licores. Ninguém lançou mais nenhum olhar em minha direção, ninguém falou nenhuma palavra vagamente irônica que me dissesse respeito. Só quando me vesti e fiz menção de ir embora, a mulher com o barrigão deixou o grupo e veio na minha direção. Ofereceu-me um pratinho com uma fatia de torta gelada cor de framboesa.

— É meu aniversário — informou, séria.

Peguei o doce, embora não estivesse com vontade de comê-lo.

— Parabéns. Quantos anos está fazendo?

— Quarenta e dois.

Olhei para a barriga, o umbigo saliente como um olho.

— Sua barriga está bem bonita.

Ela fez uma expressão de grande satisfação.

— É uma menina. Nunca tive filhos, e, agora, aqui estamos.

— Quanto falta?

— Dois meses. Minha cunhada teve sua filha logo, eu tive que esperar oito anos.

— Essas coisas acontecem quando devem acontecer. Obrigada e, mais uma vez, parabéns.

Fiz menção de devolver o pratinho depois de comer dois pedaços, mas ela não prestou atenção.

— Você tem filhos?

— Duas garotas.

— Você as teve cedo?

— Tive a primeira aos vinte e três anos.

— Já estão grandes.

— Uma tem vinte e quatro anos, e a outra, vinte e dois.

— Parece mais jovem. Minha cunhada diz que você certamente não tem mais de quarenta anos.

— Tenho quase quarenta e oito.

— Sorte a sua se manter tão bonita. Qual é o seu nome?

— Leda.

— Neda?

— Leda.

— Eu me chamo Rosaria.

Estendi o pratinho com mais decisão, ela o pegou.

— Eu estava um pouco nervosa mais cedo — justifiquei-me, relutante.

— O mar às vezes não faz bem. Ou você está preocupada com as garotas?

— Os filhos sempre causam preocupação.

Despedimo-nos, e percebi que Nina nos olhava. Atravessei o pinheiral outra vez, amuada; agora, estava me sentindo culpada. O que teria me custado mudar de barraca, os outros tinham aceitado, até os holandeses, por que eu não? Sensação de superioridade, presunção. Autodefesa do ócio pensativo, tendência letrada de dar lições de civilidade. Bobagens. Eu havia prestado tanta atenção em Nina só porque a considerava fisicamente mais próxima, enquanto a Rosaria, que era feia e despretensiosa, não tinha dedicado um único olhar. Quantas vezes devem tê-la chamado pelo nome e eu não percebera. Eu a mantivera fora do campo de visão, sem curiosidade, a imagem anônima de uma mulher que conduz a própria gravidez de forma grosseira. Ali estava o que eu era: superficial. E, depois, aquela frase: os filhos sempre causam preocupação. Dita a uma mulher prestes a pôr um filho no mundo — que besteira. Sempre palavras de desprezo, céticas ou irônicas. Bianca uma vez gritou para mim, aos prantos: você sempre se acha superior. E Marta: por que você quis nos ter se não faz outra coisa além de se queixar de nós? Pedaços de palavras, sílabas apenas. Sempre chega o momento em que os filhos dizem com raiva e tristeza: por que você me deu a vida? Eu caminhava absorta em meus pensamentos. O pinheiral tinha tons violáceos, ventava. Senti rangidos atrás de mim, talvez passos, e me virei. Silêncio.

Voltei a caminhar. Senti uma pancada nas costas, violenta, como se tivessem me atingido com uma bola de bilhar. Gritei de dor e de surpresa ao mesmo tempo, virei-me sem fôlego e vi a pinha que rolava no mato, grande como um punho, fechada. Meu coração batia acelerado, esfreguei as costas com força para afastar a dor. O fôlego não voltava, olhei as moitas ao redor, os pinheiros acima de mim agitados pelo vento.

8

Ao chegar em casa, tirei a roupa e me examinei no espelho. Entre as escápulas havia uma marca lívida que parecia uma boca, escura nas beiradas, avermelhada no centro. Tentei tocá-la, mas doía muito. Quando examinei a camisa, encontrei traços pegajosos de resina.

Para me acalmar, decidi ir até a cidadezinha, passear e jantar fora. Como aquele golpe me atingira? Busquei na memória, mas sem grandes resultados. Não sabia se a pinha fora atirada contra mim calculadamente de trás de alguma moita ou se havia caído de uma árvore. Uma pancada repentina, no fim das contas, é apenas susto e sofrimento. Quando eu imaginava o céu e os pinheiros, a pinha caía do alto; quando eu pensava na mata, nas moitas, via uma linha horizontal traçada pelo projétil, a pinha que cortava o ar até atingir as minhas costas.

A multidão de sábado à noite estava na rua, pessoas queimadas de sol, famílias inteiras, mulheres que empurravam carrinhos de bebê, pais entediados ou furiosos, casais de jovens abraçados ou de idosos de mãos dadas. O cheiro de bronzeador se misturava ao do algodão-doce e das amêndoas torradas. A dor, como uma brasa ardente cravada entre as escápulas, me fazia pensar apenas no que havia acontecido.

Senti necessidade de ligar para as minhas filhas, contar o incidente. Marta atendeu e começou a falar, como sempre fazia, rápido e com a voz estridente. Tive a impressão de que ela temia, mais do que de costume, que eu a interrompesse com alguma pergunta insidiosa, uma repreensão, ou simplesmente que eu transformasse seu tom exagerado-alegre-irônico em um sério, que lhe imporia perguntas e respostas verdadeiras. Falou por muito tempo de uma festa à qual ela e a irmã tinham que ir, não sei bem quando, se naquela mesma noite ou no dia seguinte. O pai fazia questão, amigos dele estariam presentes, não apenas colegas da universidade, mas pessoas que trabalhavam na televisão, pessoas importantes que ele queria impressionar, mostrar que, embora ainda não tivesse cinquenta anos, tinha duas filhas já crescidas, educadas e bonitas. Ela falava sem parar e, em um dado momento, começou a reclamar do clima. O Canadá, exclamou, é um país inabitável, tanto no inverno quanto no verão. Marta não perguntou como eu estava, ou talvez tenha perguntado, mas não me deu tempo de responder. Também era provável que não tivesse citado o pai, eu é que o ouvi entre uma palavra e outra. Nas conversas com as minhas filhas, ouço palavras ou expressões omitidas. Às vezes, elas ficam com raiva e dizem mamãe, eu nunca falei isso, é você que está dizendo, você inventou isso. Mas eu não invento nada, só escuto, o não dito fala mais do que o dito. Naquela noite, enquanto Marta divagava com sua rajada de palavras, imaginei por um instante que ela ainda não tivesse nascido, que nunca tivesse saído da minha barriga, que estivesse no ventre de outra — de Rosaria, por exemplo —, e que nasceria com uma aparência diferente, uma receptividade diferente. Talvez fosse o que ela sempre desejara em segredo: não ser minha filha. Ela estava falando de maneira neurótica sobre si mesma, a um continente de distância. Falava dos cabelos, que precisava lavá-los o tempo todo porque nunca ficavam bem, do cabeleireiro que os havia estragado, e que, por isso, não iria à festa, jamais sairia de casa daquele jeito, só Bianca iria, com os cabelos lindos dela, e falava como se a culpa fosse minha, eu não a fizera de uma maneira que pudesse ser feliz. Queixas antigas. Ela me parecia frívola, sim, frívola e chata, situada em um espaço distante demais daquele outro, à beira-mar, à noite, e então a perdi. Enquanto Marta continuava a reclamar, fechei os olhos pensando na minha dor nas costas e vi Rosaria, grande, cansada, que me seguia pelo pinheiral junto com o bando de garotos, seus parentes, e se agachava, a grande barriga nua apoiada como uma cúpula sobre as coxas grossas, e apontava para mim como o alvo. Quando encerrei a ligação, estava arrependida de ter telefonado, sentia-me mais agitada do que antes, meu coração batia forte.

Eu precisava comer, mas os restaurantes estavam cheios demais; detesto ser uma mulher sozinha em um restaurante no sábado. Decidi comer alguma coisa no bar perto de casa. Fui até lá devagar e olhei a vitrine do balcão: um monte de moscas voando. Comprei dois croquetes de batata, um *arancino*, uma cerveja. Enquanto eu comia sem muito entusiasmo, ouvi, às minhas costas, um grupo de homens idosos cochichando em um dialeto bem forte. Jogavam cartas, gargalhavam, e eu os vira rapidamente de soslaio ao entrar. Virei-me. Na mesa dos jogadores estava Giovanni, o faz-tudo que me recebera quando cheguei e que eu não vira desde então.

Ele deixou as cartas sobre a mesa e veio ao meu encontro no balcão. Iniciou uma conversa vaga, perguntando como eu estava, se havia me ambientado, como me sentia no apartamento, amenidades. Mas falou comigo o tempo todo com um sorriso cúmplice, embora não houvesse motivo para que sorrisse daquela maneira. Tínhamos nos visto uma vez, por poucos minutos, e não dava para entender no que podíamos ser cúmplices. Ele mantinha a voz muito baixa, e a cada palavra avançava alguns centímetros na minha direção, duas vezes tocou no meu braço com a ponta dos dedos, uma vez pôs a mão cheia de manchas escuras sobre o meu ombro. Quando me perguntou se podia me ajudar com alguma coisa, estava quase falando ao meu ouvido. Percebi que seus companheiros de jogo nos fitavam em silêncio, e fiquei constrangida. Eram da idade dele, todos com uns setenta anos, e pareciam espectadores em um teatro, assistindo incrédulos a uma cena surpreendente. Quando terminei o jantar, Giovanni fez um sinal para o homem do balcão, algo que significava é por minha conta, e não consegui pagar de jeito nenhum. Agradeci, saí às pressas e, só quando pus os pés do lado de fora e ouvi as risadas roucas dos jogadores, entendi que aquele homem devia ter se vangloriado de alguma intimidade comigo, a forasteira, e que havia tentado provar isso simulando, para deleite dos presentes, atitudes de homem dominante.

Eu deveria ter ficado com raiva, mas de repente me senti melhor. Pensei em voltar ao bar, sentar-me ao lado de Giovanni e torcer visivelmente por ele no jogo de cartas, como teria feito uma loura burra em um filme de gângster. Afinal de contas, qual era o problema: era um velho enxuto, com todos os cabelos na cabeça, só a pele era manchada e marcada por rugas profundas, a íris, amarelada, e tinha um ligeiro véu sobre as pupilas. Ele havia atuado, eu atuaria. Falaria ao pé do ouvido dele, roçaria o seio em seu braço, poria o queixo sobre o seu ombro espiando as cartas. Ele me agradeceria pelo resto da vida.

Mas acabei voltando para casa e, no terraço, enquanto o farol me golpeava como um sabre, esperei o sono chegar.

Não preguei os olhos a noite toda. As costas latejavam inflamadas, e em toda a cidade ressoavam músicas em alto volume, ruídos de carros, gritos de saudações ou de despedida, até o amanhecer.

Permaneci deitada, porém agitada, com uma sensação cada vez maior de desmoronamento: Bianca e Marta, as dificuldades no meu trabalho, Nina, Elena, Rosaria, meus pais, o marido de Nina, os livros que eu estava lendo, Gianni, meu ex--marido. Ao amanhecer, fez-se um silêncio repentino, e dormi por algumas horas.

Acordei às onze, reuni apressadamente minhas coisas e entrei no carro. Mas era domingo, um domingo quentíssimo: peguei muito trânsito, tive dificuldade para estacionar e acabei no meio de um caos pior do que o do dia anterior, um fluxo de jovens, velhos, crianças, cheios de parafernálias, que se aglomeravam na trilha no pinheiral e saíam empurrando a todos para conquistar o quanto antes um pedacinho de areia e mar.

Gino, ocupado com o fluxo contínuo de banhistas, dedicou-me pouca atenção e apenas me cumprimentou com um aceno. Já de roupa de banho, deitei-me logo na sombra, de barriga para cima a fim de esconder o hematoma nas costas, e pus os óculos escuros. Minha cabeça doía.

A praia estava abarrotada. Procurei Rosaria, mas não a vi, o clã parecia estar disperso em meio à multidão. Só olhando com atenção consegui identificar Nina e o marido, que passeavam na beira da água.

Ela usava um biquíni azul-marinho e novamente me pareceu muito bonita, movendo-se com a elegância natural de sempre, embora naquele momento estivesse falando algo com ardor. Ele, sem camisa, era mais atarracado do que a irmã, Rosaria, pálido, sem sequer um leve rubor provocado pelo sol. Seus movimentos eram comedidos, uma corrente de ouro com um crucifixo pendia no peito peludo, e — um detalhe que me pareceu repulsivo — tinha uma barriga grande, dividida, em duas metades inchadas, por uma cicatriz profunda que ia da beirada do calção até o arco das costelas.

Fiquei surpresa pela ausência de Elena, era a primeira vez que eu não via mãe e filha juntas. Mas depois percebi que a menina estava a dois passos de mim, sozinha, sentada na areia ao sol, com o chapéu novo da mãe na cabeça, brincando com a boneca. Notei que o olho da garota estava ainda mais vermelho, e a intervalos ela lambia o muco que escorria do nariz com a ponta da língua.

Com quem ela parecia? Após já ter visto o pai, eu achava que podia distinguir nela traços dos dois genitores. Basta olharmos para a criança e na mesma hora começa o jogo das semelhanças, pois logo nos apressamos a encaixá-la dentro do perímetro conhecido dos pais. Na verdade, é apenas matéria viva, o enésimo pedaço aleatório de carne proveniente de longas cadeias de organismos. Engenharia — a natureza é engenharia, a cultura também, a ciência está logo atrás, só o caos não é engenheiro — e, ao lado dela, necessidade furiosa de reprodução. Eu havia desejado Bianca; um filho é desejado com uma opacidade animal reforçada pelas crenças populares. Ela chegara cedo, eu tinha vinte e três anos, e o pai dela e eu estávamos no meio de uma árdua luta para continuarmos a trabalhar na universidade. Ele conseguiu, eu não. O corpo de uma mulher faz mil coisas diferentes, dá duro, corre, estuda, fantasia, inventa, se esgota e, enquanto isso, os seios crescem, os lábios do sexo incham, a carne pulsa com uma vida redonda que é sua, a sua vida, mas que empurra você para longe, não lhe dá atenção, embora habite sua barriga, alegre e pesada, desfrutada como um impulso voraz e, todavia, repulsiva como o enxerto de um inseto venenoso em uma veia.

Sua vida quer se tornar a de outro. Bianca foi expulsa, se expulsou, mas — era o que todos à nossa volta acreditavam, então nós também acreditamos — não podia crescer sozinha, triste demais, era necessário um irmão, uma irmã para lhe fazer companhia. Por isso, logo depois dela, programei, obediente, sim, exatamente como se diz, *programei* que crescesse no meu ventre Marta.

Assim, aos vinte e cinco anos, qualquer outra brincadeira havia acabado para mim. O pai corria mundo afora, uma oportunidade atrás da outra. Não tinha nem o tempo de reparar o que fora copiado do seu corpo, como havia resultado a reprodução. Mal olhava as duas meninas, mas dizia com ternura verdadeira: são iguaizinhas a você. Gianni é um homem gentil, nossas filhas gostam dele. Ele cuidou pouco ou nada delas, mas, quando foi necessário, fez tudo o que podia, agora também faz tudo o que pode. Em geral, agrada às crianças. Se estivesse aqui, não ficaria como eu na espreguiçadeira, iria brincar com Elena, se sentiria na obrigação de fazê-lo.

Eu, não. Eu olhava para a menina, mas, vendo-a daquele jeito, sozinha e, no entanto, com todos os seus antepassados comprimidos na própria carne, tinha uma sensação semelhante a repulsa, embora não soubesse o que me causava tamanha repugnância. A pequena brincava com a boneca. Falava com ela, mas não enquanto uma boneca descabelada, o crânio meio louro, meio calvo. Sabe-se lá que figura lhe atribuía. Nani, dizia, Nanuccia. Nanicchia, Nennella. Era uma brincadeira carinhosa. Ela beijava o rosto da boneca com força, com tanta força que quase parecia inchar o plástico com um sopro daquele seu amor gasoso, vibrante, com todo o amor de que era capaz. Beijava seu peito nu, as costas, a barriga, por toda parte, com a boca aberta como se quisesse devorá-la.

Desviei o olhar, não devemos assistir às brincadeiras das crianças. Mas, depois, voltei a observar. Nani era uma boneca feia, velha, tinha no rosto e no corpo marcas de caneta esferográfica. Porém, naqueles momentos, emanava uma força viva. Agora era ela que beijava Elena com um crescente furor. Colidia com força contra o rosto da menina, apoiava os lábios de plástico sobre os lábios, beijava-lhe seu peito delgado, a barriga um pouco inchada, apertava a cabeça contra o maiozinho verde. A menina percebeu que eu estava observando. Sorriu para mim com um olhar esmerilhado e apertou com força, como um desafio, a cabeça da boneca entre as pernas, com as duas mãos. As crianças fazem brincadeiras assim, todos sabem, e depois esquecem. Levantei-me. O sol ardia, eu estava muito suada. Não havia um sopro de vento, uma névoa cinza subia no horizonte. Fui para a água.

Da água, boiando preguiçosamente entre a multidão de domingo, vi Nina e o marido, que continuavam a discutir. Ela se queixava de algo, ele escutava. Então o homem pareceu cansado de conversa fiada e disse alguma coisa ríspida para ela, mas sem perder a compostura, mantendo a calma. Devia amá-la muito, pensei. Deixou-a à beira-mar e foi confabular com os outros que haviam chegado de lancha no dia anterior. Ficou evidente que eram eles o motivo da discussão. Era sempre assim, eu sabia por experiência própria: primeiro a festa, os amigos, os parentes, todos se amando; depois as brigas pela superlotação, velhos ressentimentos que explodiam. Nina não aguentava mais os hóspedes, e, veja, o marido estava mandando-os embora. Depois de alguns instantes, os homens, as mulheres de riqueza descomunal e as crianças obesas abandonaram, de forma desordenada, as barracas de praia do clã, levando os próprios pertences para a lancha, e o marido de Nina quis ajudá-los, talvez para apressar a partida. Partiram em meio a beijos e abraços, assim como tinham chegado, mas nenhum deles foi cumprimentar Nina. Ela, por sua vez, afastou-se, andando ao longo da praia com a cabeça baixa, como se não suportasse vê-los nem mais um minuto.

Nadei para longe para me afastar da multidão de domingo. A água do mar tonificou minhas costas e a dor passou, ou assim me pareceu. Fiquei na água por muito tempo, até ver as pontas dos dedos enrugadas e começar a tremer de frio. Minha mãe, quando percebia que eu estava naquele estado, me puxava para fora da água aos berros. Via que eu batia o queixo e ficava com mais raiva ainda, me empurrava, me cobria da cabeça aos pés com uma toalha e me esfregava com tamanha energia, tal violência, que eu não entendia se era de fato preocupação com a minha saúde ou raiva reprimida por muito tempo, uma ferocidade que me esfolava a pele.

Estendi a canga diretamente sobre a areia pelando e me deitei. Adoro a areia quente depois de o mar gelar meu corpo. Olhei para onde antes estava Elena. Restara apenas a boneca, mas em uma posição penosa, os braços escancarados, as pernas abertas, deitada de costas, mas com a cabeça semienterrada na areia. Dava para ver o nariz, um olho, metade do crânio. Adormeci devido ao calor e à noite insone.

Dormi por um minuto, dez. Quando despertei, levantei atordoada. Vi que o céu embranquecera, uma demão de cal quente. O ar estava parado, a multidão aumentara, havia um tumulto de música e pessoas. Naquele tropel dominical, como se atendendo a um chamado secreto, a primeira pessoa que me saltou aos olhos foi Nina.

Algo estava acontecendo com ela. Movia-se lentamente entre as barracas de praia, incerta, arquejando. Virou a cabeça para um lado, para o outro, dando quase um tranco, como um pássaro alarmado. Disse algo a si mesma, de onde eu estava não era possível ouvir, depois foi correndo até o marido, deitado em uma espreguiçadeira embaixo do guarda-sol.

O homem deu um salto e olhou à sua volta. O velho carrancudo o puxou por um braço, ele se desvencilhou, Rosaria aproximou-se. Todos os parentes, adultos e crianças, começaram a olhar em volta como se fossem um corpo único, depois trataram de se deslocar, se espalhando.

Começaram os chamados: Elena, Lenuccia, Lena. Rosaria foi com passos curtos porém rápidos em direção ao mar, como se tivesse urgência de se banhar nele. Olhei para Nina. Fazia gestos sem sentido, tocava a própria testa, primeiro ia para a direita, depois voltava bruscamente em direção à esquerda. Era como se do fundo das vísceras algo estivesse aspirando a vida de seu rosto. A pele ficou amarelada, os olhos, que não paravam, estavam loucos de ansiedade. Não encontrava a menina, a perdera.

Vai aparecer, pensei, eu tinha prática em desaparecimentos. Minha mãe dizia que eu não fazia outra coisa além de me perder quando criança. Um instante de desatenção e eu sumia; era necessário correr até o quiosque e pedir que anunciassem no alto-falante como eu era, o meu nome, e ela, enquanto isso, ficava esperando ao lado do balcão. Eu não tinha nenhuma lembrança desses sumiços, carregava outras coisas na memória. Eu tinha medo de que fosse a minha mãe a se perder, vivia com a angústia de não conseguir mais encontrá-la. Porém me lembrava nitidamente de quando perdi Bianca. Corri pela praia como Nina naquele momento, mas estava com Marta no colo, berrando. Eu não sabia o que fazer, estava sozinha com as duas, meu marido viajara para o exterior, e eu não conhecia ninguém. Um filho é, de fato, um turbilhão de aflições. Ficou gravado em minha mente que eu procurava com os olhos por toda parte, menos no mar; eu nem mesmo ousava olhar para a água.

Percebi que Nina estava fazendo a mesma coisa. Buscava por toda parte, mas dava desesperadamente as costas para o mar, então senti uma comoção repentina, tive vontade de chorar. A partir daquele momento, não consegui mais ficar de fora, achei insuportável que a multidão da praia não se desse conta da busca frenética dos napolitanos. Há variações bruscas que nenhum gráfico pode reproduzir, um movimento é luminoso, outro é obscuro. Eles, que haviam parecido tão autônomos, tão prepotentes, agora me pareciam frágeis. Admirei Rosaria, a única que examinava o mar. Ela se movia com aquele barrigão, dando passos rápidos, mas curtos, ao longo da beira da água. Então me levantei, fui até Nina, toquei em seu braço. Ela se virou de supetão, um movimento de serpente, e gritou: você a encontrou. Falou comigo como se nos conhecêssemos, embora nunca tivéssemos trocado uma palavra.

— Ela está usando o seu chapéu — respondi —, vamos achá-la, vamos vê-la facilmente.

Nina olhou para mim em dúvida, depois assentiu e correu na direção em que o marido havia desaparecido. Corria como uma jovem atleta que competia com a sorte e o azar.

Fui na direção oposta, ao longo da primeira fila de guarda-sóis, com passos lentos. Parecia que eu era Elena, ou Bianca quando se perdeu, mas talvez fosse apenas eu mesma quando pequena ressurgindo do esquecimento. A criança que se perde em meio à multidão na praia vê tudo inalterado e, ao mesmo tempo, não distingue mais nada. Falta-lhe orientação, algo que antes tornava banhistas e barracas reconhecíveis. A criança sente como se estivesse exatamente no mesmo lugar de antes, mas não sabe onde se encontra. Olha ao redor com olhos amedrontados e vê que o mar é o mar, a praia é a praia, as pessoas são as pessoas, o vendedor de coco fresco é de fato o vendedor de coco fresco.

No entanto, todas as coisas ou pessoas lhe são estranhas, então chora. Ao adulto desconhecido que lhe pergunta o que foi, por que está chorando, não diz que se perdeu, diz que não encontra mais a mamãe. Bianca estava chorando quando a encontraram, quando a trouxeram de volta para mim. Eu também chorava, de felicidade, de alívio, mas, no entanto, gritava de raiva — como minha mãe — pelo peso acachapante da responsabilidade, pelo vínculo que sufoca, e empurrava minha primogênita com o braço livre, gritava: você vai me pagar, Bianca, vai ver só em casa, trate de nunca mais se afastar, nunca mais.

Caminhei por um tempo procurando entre as crianças sozinhas, em grupo, no colo de adultos. Eu me senti agitada, um pouco enjoada, mas sabia como manter a atenção. Vi, enfim, o chapéu de palha; meu coração parou. De longe, parecia abandonado sobre a areia, mas, embaixo dele, estava Elena. Sentada a um metro da água, com as pessoas passando ao seu lado sem notá-la, ela chorava, um fluxo lento de lágrimas silenciosas. Não me disse que tinha perdido a mãe, apenas que tinha perdido a boneca. Estava desesperada.

Peguei-a no colo, voltei a passos rápidos até o quiosque. Cruzei com Rosaria, que quase a arrancou dos meus braços com um furor entusiástico, gritou de alegria e fez sinal à cunhada. Nina nos viu, viu a filha, saiu correndo. O marido também saiu correndo, todos, alguns das dunas, outros do quiosque, outros ainda da orla. Cada membro da família queria beijar, abraçar, tocar em Elena — embora ela continuasse desesperada — e saborear a satisfação pelo perigo evitado.

Recuei, voltei à barraca, comecei a recolher minhas coisas apesar de ainda não serem nem duas da tarde. Não me agradava que o choro de Elena continuasse. Vi que o grupo a festejava, as mulheres a tiraram da mãe e a passaram de mão em mão para tentar acalmá-la, mas sem sucesso. A menina estava inconsolável.

Nina veio até mim. Logo em seguida, Rosaria também chegou, parecendo orgulhosa de ter sido a primeira a estabelecer uma relação comigo. Eu, que tinha sido tão decisiva.

— Queria lhe agradecer — disse Nina.

— Foi um belo susto.

— Achei que eu ia morrer.

— Minha filha se perdeu justamente em um domingo de agosto, quase vinte anos atrás, mas eu não enxergava nada, era uma angústia cega. Nesses casos, os estranhos são mais úteis.

— Ainda bem que você estava aqui — disse Rosaria —, acontecem tantas coisas ruins.

Depois, é claro, seu olhar recaiu sobre minhas costas, pois exclamou com um gesto de horror:

— Meu Deus, o que você aprontou aí atrás, o que foi isso?

— Uma pinha, no pinheiral.

— Está muito feio, você não passou nada?

Ela foi pegar uma pomada, dizendo que era milagrosa. Nina e eu ficamos sozinhas, ouvíamos os insistentes gritos da menina.

— Ela não se acalma — comentei.

Nina sorriu.

— É um dia ruim. Nós a encontramos, e ela perdeu a boneca.

— Vocês vão encontrá-la.

— Claro, mas se não encontrarmos como vamos fazer? É capaz de ficar doente.

Senti um frio repentino nas costas. Rosaria chegara silenciosamente por trás de mim e já estava passando o creme.

— Como está?

— Bem, obrigada.

A mulher prosseguiu com uma delicadeza solícita. Quando terminou, pus o vestido por cima do maiô e peguei a bolsa.

— Até amanhã — falei, estava com pressa de ir embora.

— Você vai ver que já vai melhorar esta noite.

— Certo.

Olhei outra vez, por um instante, para Elena, que se debatia e se contorcia nos braços do pai, invocando alternadamente a mãe e a boneca.

— Vamos — disse Rosaria à cunhada —, vamos encontrar a boneca porque não aguento mais ouvi-la gritar.

Nina me acenou em despedida e partiu em direção à filha. Rosaria, por sua vez, começou logo a fazer perguntas a crianças e pais, remexendo sem permissão nos brinquedos amontoados embaixo das barracas de praia.

Subi pelas dunas, entrei no pinheiral, mas até ali pareciam chegar os gritos da menina. Eu estava confusa e levei a mão ao peito para acalmar o coração disparado. Quem tinha pegado a boneca era eu, ela estava na minha bolsa.

Enquanto dirigia para casa, me acalmei. Descobri que não conseguia me lembrar do momento exato de uma ação que agora eu julgava quase engraçada, engraçada porque não fazia sentido. Eu estava na condição de quem constata, um pouco assustada, um pouco alegre: veja só o que me aconteceu.

Devo ter sentido uma daquelas ondas de pena que me invadiam desde criança, sem uma razão evidente, em relação a pessoas, animais, plantas, coisas. A explicação me agradou, pareceu aludir a algo intrinsecamente nobre. Foi um impulso irrefletido de socorro, pensei. Nena, Nani, Nennella, ou seja lá como se chamava, eu a vi abandonada na areia, descomposta, com o rosto meio enterrado, como se estivesse prestes a sufocar, e a peguei. Uma reação infantil, nada de especial, nós nunca crescemos de fato. Decidi que, no dia seguinte, a devolveria. Irei à praia bem cedo, enterrarei a boneca na areia exatamente no ponto em que Elena a abandonou, darei um jeito para que ela mesma a encontre. Brincarei um pouco com a menina e, depois, direi que está ali, veja só, vamos cavar. Fiquei quase contente.

Em casa, tirei da bolsa as toalhas e os cremes, mas deixei no fundo a boneca, para ter certeza de que, no dia seguinte, não a esqueceria. Tomei banho, lavei o maiô e o coloquei para secar. Preparei uma salada e comi no terraço, olhando para o mar, a espuma em volta das línguas de lava, a formação de nuvens pretas que deixava o horizonte. Depois, de repente, pensei ter feito uma coisa feia, não intencional, porém feia. Um gesto como aqueles que acontecem no sono, quando você se vira na cama e derruba a luminária da mesinha de cabeceira. Não tinha a ver com pena, não se tratava de um sentimento generoso. Senti-me como uma gota que escorrega ao longo de uma folha depois da chuva, impelida por um movimento claramente inevitável. Estou tentando encontrar justificativas, mas elas não existem. Sinto-me confusa, os meses de leveza talvez tenham acabado, temo a volta dos pensamentos rápidos demais, imagens vorticosas. O mar está se tornando uma faixa roxa, chegou o vento. Como é mutável o tempo... a temperatura caiu bruscamente. Elena ainda deve estar chorando na praia, Nina deve estar desesperada, Rosaria revirou a areia milímetro por milímetro, o clã deve estar em guerra com todos os banhistas. Um guardanapo de papel saiu voando, tirei a mesa. Pela primeira vez após muitos meses me senti sozinha. Vi ao longe, no mar, cortinas de chuva escura caírem das nuvens.

Em poucos minutos o vento ficou forte, lançava longos gemidos serpeando contra o edifício e soprava para dentro de casa poeira, folhas secas, insetos mortos. Fechei a porta do terraço, peguei a bolsa, sentei-me no pequeno sofá à frente da janela. Eu não conseguia manter firmes nem mesmo minhas intenções. Peguei a boneca, examinei-a por todos os ângulos, intrigada. Nenhuma roupa, onde Elena as teria deixado. Pesava mais do que o esperado, devia ter água dentro dela. Os poucos cabelos louros afloravam do crânio em pequenos tufos distanciados entre si. Tinha as bochechas estufadas demais, olhos azuis estúpidos e lábios pequenos com um furo escuro no centro. O peito era longo, a barriga, proeminente. Entre as pernas gordas e curtas, via-se apenas uma linha vertical que prosseguia sem interrupção entre as nádegas largas.

Eu gostaria de vesti-la. Tive a ideia de comprar roupinhas para a boneca, uma surpresa para Elena, quase um ressarcimento. O que é uma boneca para uma criança? Tive uma com belos cabelos cacheados, cuidava muito bem dela, nunca a perdi. Chamava-se Mina. Minha mãe dizia que fui eu que lhe dei aquele nome. Mina, *mammina*. A palavra *mammuccia* me veio à mente, um antigo termo usado para "boneca", há muito fora de moda. Brincar de ser a mamãezinha de uma boneca. Minha mãe nunca esteve disposta às brincadeiras que eu tentava fazer com ela. Logo ficava nervosa, não gostava de bancar a boneca. Ria, se esquivava, ficava com raiva. Irritava-se se eu a penteasse, pusesse fitinhas, lavasse seu rosto e orelhas, a despisse e vestisse novamente.

Já eu, não. Como adulta, sempre tentei me lembrar do sofrimento de não poder mexer nos cabelos, no rosto, no corpo de minha mãe. Por isso fui pacientemente a boneca de Bianca nos seus primeiros anos de vida. Ela me levava para debaixo da mesa da cozinha, era a nossa cabana, fazia com que eu me deitasse.

Eu estava esgotada, me lembro: Marta não pregava os olhos de noite, dormia só um pouco de dia, e Bianca estava sempre à minha volta, cheia de vontades; não queria ir à creche e, quando eu conseguia deixá-la por lá, adoecia, complicando ainda mais minha vida. No entanto, eu tentava manter a calma, queria ser uma boa mãe. Deitava no chão, deixava que ela cuidasse de mim como se eu estivesse doente. Bianca me dava remédios, escovava meus dentes, me penteava. Às vezes, eu adormecia, mas ela era pequena, não sabia usar o pente e, quando me arrancava os cabelos, eu me sobressaltava e acordava. Sentia os olhos lacrimejando de dor.

Fui muito infeliz naqueles anos. Não conseguia mais estudar, brincava sem alegria, sentia meu corpo inanimado, sem desejos. Quando Marta começava a gritar no outro cômodo, era quase uma libertação para mim. Levantava-me interrompendo bruscamente as brincadeiras de Bianca, mas não me sentia culpada, eu não estava fugindo da minha filha, era minha segunda filha que estava me arrancando da primeira. Preciso ir ver Marta, já volto, espere. Ela começava a chorar.

Foi em um momento de sensação de inadequação generalizada que decidi dar Mina a Bianca. Pareceu-me um belo gesto, um modo de acalmar o ciúme que sentia da irmã caçula. Por isso, retirei a velha boneca de uma caixa de papelão sobre o armário e falei a Bianca: veja, ela se chama Mina, era a boneca da mamãe quando pequena, é um presente para você. Eu achava que Bianca ia amá-la, tinha certeza de que ela se dedicaria à boneca como se dedicava a mim nas brincadeiras. No entanto, logo a pôs de lado, não gostou de Mina. Preferia uma boneca feia, de trapos, com os cabelos feitos com fios de lã amarela que o pai lhe trouxera de presente ao voltar sabe-se lá de onde. Fiquei muito triste.

Certo dia, Bianca estava brincando na varanda, um lugar que ela adorava. Eu a deixava ficar lá assim que iniciava a primavera; não tinha tempo de sair com ela, mas queria que tomasse ar e sol, embora da rua chegassem os ruídos do tráfego e um forte cheiro de fumaça de escapamento. Eu não conseguia abrir um livro havia meses, estava esgotada e com raiva, o dinheiro nunca bastava, eu dormia pouquíssimo. Encontrei Bianca sentada sobre Mina como se fosse um assento e, enquanto isso, ela brincava com sua boneca. Mandei que se levantasse na mesma hora, não devia estragar uma coisa tão querida da minha infância, era uma menina muito má e ingrata. Foi exatamente o que eu disse, ingrata, e gritei, acho que gritei que tinha errado em dar a boneca para ela, era a minha boneca, eu iria tomá-la de volta.

Quantas coisas fazemos e dizemos às crianças na privacidade das casas... Bianca já tinha um caráter frio, sempre tinha sido assim, engolia as ansiedades e os sentimentos. Ela ficou sentada em cima de Mina e apenas disse, articulando as palavras como faz, ainda hoje, quando declara as próprias vontades como se fossem as últimas: não, é minha. Então, dei-lhe um empurrão terrível; era uma menina de três anos, mas, naquele momento, pareceu-me maior, mais forte do que eu. Arranquei-lhe Mina, e ela finalmente arregalou os olhos, assustada. Descobri que tirara todas as roupas da boneca, até mesmo os sapatos e as meias, e a sujara da cabeça aos pés com canetas marca-texto. Um dano remediável, mas que para mim pareceu irreparável. Tudo durante aqueles anos me parecera irreparável, eu mesma era irreparável. Joguei a boneca por cima da grade da varanda.

Observei-a voar rumo ao asfalto e senti uma alegria cruel. Enquanto ela caía, pareceu-me um ser asqueroso. Fiquei apoiada na grade não sei por quanto tempo olhando os carros que passavam em cima dela, trucidando-a. Depois percebi que Bianca também observava, ajoelhada, com a testa junto às barras da varanda. Então a peguei no colo, e ela se deixou levar sem resistir. Beijei-a por muito tempo, apertei-a contra mim como se quisesse fazê-la voltar para dentro do meu corpo. Você está me machucando, mamãe, está doendo. Deixei a boneca de Elena em cima do sofá, deitada de barriga para cima.

O temporal se deslocara rapidamente para a terra firme, violentíssimo, com muitos raios ofuscantes e trovoadas que pareciam explosões de carros cheios de dinamite. Corri para fechar as janelas do quarto antes que tudo se alagasse e acendi a luminária sobre a mesinha de cabeceira. Deitei-me na cama, apoiei os travesseiros na cabeceira e comecei a estudar com vigor, enchendo páginas inteiras com anotações.

Ler e escrever sempre foram a minha forma de me acalmar.

12

O que me despertou do trabalho foi uma luz avermelhada, não chovia mais. Passei algum tempo me maquiando, vestindo-me com esmero. Queria parecer uma senhora digna, apropriadamente arrumada. Saí.

A multidão de domingo era menos densa e barulhenta do que a de sábado, o fluxo extraordinário do fim de semana estava se exaurindo. Passeei um pouco na orla, depois me dirigi para um restaurante ao lado do mercado. Cruzei com Gino, que vestia a mesma roupa com a qual eu costumava vê-lo na praia, talvez estivesse voltando justamente de lá. Cumprimentou-me com um gesto respeitoso, querendo seguir adiante, mas eu parei, e, então, ele se viu obrigado a parar também.

Eu sentia a necessidade de escutar o som da minha voz, colocá-la sob controle graças à voz de outra pessoa. Perguntei do temporal, o que havia acontecido na praia. Ele disse que viera uma ventania forte, uma tempestade, com chuva e vento, e muitos guarda-sóis tinham sido arrancados da areia. As pessoas haviam corrido para se abrigar debaixo da marquise do quiosque, no bar, mas era gente demais, a maior parte desistira, e a praia esvaziara.

— Ainda bem que a senhora foi embora cedo.
— Gosto de tempestades.
— Seus livros e cadernos teriam sido destruídos.
— Seu livro ficou molhado?
— Um pouco.
— O que você estuda?
— Direito.
— Quanto falta?
— Estou atrasado, perdi certo tempo. A senhora leciona na universidade?
— Leciono.
— O quê?
— Literatura inglesa.
— Vi que conhece muitos idiomas.

Eu ri.

— Não sei nada realmente bem, eu também perdi tempo. Trabalho doze horas por dia na universidade e sou escrava de todos.

Passeamos um pouco, e eu relaxei. Falei de vários assuntos para deixá-lo à vontade e, enquanto isso, via-me de fora: eu vestida como uma senhora respeitável, ele sujo de areia, usando calção de praia, regata, chinelos. Estava me divertindo, sentindo-me até um pouco satisfeita comigo mesma. Se Bianca e Marta me vissem, eu seria motivo de chacota durante anos.

Ele certamente tinha a idade delas: um filho homem, um corpo esguio e nervoso para cuidar. Assim eram os corpos masculinos jovens que me agradavam quando eu era adolescente, altos, magros, de cabelos negríssimos, como os namorados de Marta, não pequenos, louros, um pouco atarracados e fortes como os de Bianca, sempre um pouco mais velhos do que ela, com as veias azuis assim como os olhos. Porém, amei a todos eles, os primeiros namorados das minhas filhas, e lhes concedia um afeto exagerado. Queria recompensá-los, talvez, porque haviam reconhecido a beleza, as virtudes delas, arrancando-as, assim, da angústia de serem feias, da certeza de não terem poder de sedução. Ou eu queria recompensá-los porque tinham providencialmente me salvado também de maus humores, conflitos, queixas e tentativas de acalmá-las: sou feia, estou gorda. Mas eu também me sentia feia e gorda na idade de vocês. Não, você não era feia e gorda, você era bonita. Vocês também são bonitas, nem percebem como olham para vocês. Não olham para nós, olham para você.

A quem se dirigiam os olhares de desejo. Quando Bianca tinha quinze anos, e Marta, treze, eu tinha menos de quarenta. Os corpos de criança delas se suavizaram quase juntos. Durante algum tempo, continuei a acreditar que os olhares dos homens na rua se dirigiam a mim, como acontecia havia vinte e cinco anos — àquela altura era um hábito acolhê-los, suportá-los. Depois percebi que deslizavam lascivamente do meu corpo para deterem-se sobre o delas, e me assustei, fiquei contente, tendo dito, enfim, a mim mesma, com uma irônica melancolia: uma fase está prestes a terminar.

No entanto, comecei a dedicar mais atenção a mim mesma, como se quisesse conservar o corpo ao qual estava acostumada, evitar que ele me deixasse. Quando os amigos das duas meninas iam lá em casa, eu tentava melhorar a aparência para recebê-los. Eu os via muito pouco, quando entravam, quando iam embora, cumprimentando-me constrangidos, porém estava muito atenta à minha aparência, aos meus modos. Bianca puxava um para dentro do quarto, Marta, o outro, para o dela, eu ficava sozinha. Queria que minhas filhas fossem amadas, não suportava que não fossem, a possível infelicidade delas me aterrorizava. Mas as lufadas sensuais que sopravam delas eram violentas, vorazes, e eu sentia que o corpo delas tinha como que roubado o poder de atração do meu. Por isso ficava satisfeita quando me diziam, rindo, que os garotos me consideravam jovem e atraente. Parecia por alguns minutos que os nossos três organismos tinham atingido um agradável acordo.

Em uma ocasião, talvez eu tenha flertado excessivamente com um amigo de Bianca, um garoto de quinze anos sempre emburrado, quase mudo, de aparência suja e sofrida. Quando o menino foi embora, chamei minha filha; primeiro ela apareceu na porta do meu quarto, e, em seguida, por curiosidade, também Marta.

— Seu amigo gostou do doce?

— Gostou.

— Eu deveria ter posto chocolate, mas não tive tempo. Fica para a próxima vez.

— Ele perguntou se na próxima vez você vai pagar um boquete para ele.

— Bianca, o que é isso?

— Foi o que ele disse.

— Não foi nada.

— Foi, sim.

Aos poucos, cedi. Eduquei-me a estar presente somente se quisessem minha presença e a ter voz somente se me pedissem para falar. Era o que exigiam de mim e o que eu dava a elas. O que eu queria delas, isso nunca entendi, nem mesmo agora tenho essa resposta.

Olhei para Gino, e pensei: vou perguntar se ele quer me fazer companhia no jantar. Pensei também: ele vai inventar uma desculpa, vai dizer que não, azar. No entanto, ele disse apenas, timidamente:

— Preciso tomar um banho e trocar de roupa.
— Assim está bem.
— Não estou nem com a minha carteira.
— Eu que estou convidando.

Gino se esforçou para manter a conversa viva durante todo o jantar. Tentou também me fazer rir, mas tínhamos pouco ou nada em comum. Ele sabia que devia me entreter entre uma garfada e outra, sabia que devia evitar silêncios longos demais e fez todo o possível, enveredou pelos mais diferentes caminhos, como um animal perdido.

O rapaz tinha pouco ou nada a dizer de si mesmo e tentou fazer com que eu falasse. Contudo, fazia perguntas secas, e eu lia em seu olhar que não tinha um interesse genuíno em minhas respostas. Mesmo tentando ajudá-lo, eu não conseguia evitar que os assuntos se esgotassem rapidamente.

Primeiro, ele se interessou pelo que eu estava estudando. Respondi que preparava o curso do ano seguinte.

— Sobre o quê?
— *Olivia*.
— Quem é ela?

— É um conto.
— Longo?

Gino gostava de provas breves, tinha muita raiva dos professores que entupiam os alunos de livros a serem estudados só para mostrar que a prova deles era importante. Ele tinha dentes branquíssimos e grandes, a boca larga. Os olhos eram pequenos, quase fissuras. Gesticulava muito, ria. Não sabia nada sobre *Olivia*, nada sobre o que me apaixonava. Como as minhas filhas, que, enquanto cresciam, mantinham-se cautelosamente distantes das minhas coisas e estudavam ciências, física, como o pai.

Falei um pouco delas, muitas coisas boas, mas com um tom de voz irônico. Enfim, recuamos devagar para as poucas coisas que tínhamos em comum: a praia, o quiosque, seu patrão, os banhistas. Falou dos estrangeiros, quase sempre gentis, e dos italianos, pretensiosos e arrogantes. Falou com simpatia dos africanos, das moças orientais que pulavam de guarda-sol em guarda-sol. Mas só quando começou a falar de Nina e da família dela entendi que eu estava ali, naquele restaurante com ele, por aquele motivo.

Ele me contou da boneca, do desespero da menina.

— Depois do temporal, procurei por toda parte, revirei a areia até uma hora atrás, mas não a encontrei.

— Vai aparecer.

— Espero que sim, especialmente por causa da mãe. Irritaram-se como se a culpa fosse dela.

Falou de Nina com admiração.

— Ela passa as férias aqui desde que a filha nasceu. O marido aluga uma mansão nas dunas. Da praia não dá para ver a casa. Fica no pinheiral, é um lugar bem bonito.

Gino disse que ela era uma garota muito direita, tinha terminado o ensino médio e até chegara a cursar a universidade por um breve período.

— É muito graciosa — comentei.

— Sim, é bonita.

Já tinham se falado algumas vezes — pelo que entendi —, e ela tinha-lhe dito que queria retomar os estudos.

— É só um ano mais velha do que eu.

— Vinte e cinco?

— Vinte e três, tenho vinte e dois.

— Como minha filha Marta.

Ele ficou calado por um instante, depois disse de repente, com um olhar sombrio que o enfeou:

— Já viu o marido? A senhora faria sua filha se casar com um sujeito daqueles?

Perguntei, com ironia:

— O que há de errado com ele?

Ele balançou a cabeça e disse, sério:

— Tudo. Ele, os amigos e os parentes. A irmã é insuportável.

— Rosaria, a senhora grávida?

— Senhora? É melhor não se meter com ela. Admirei muito quando a senhora não aceitou sair da sua barraca ontem. Mas não faça mais nada desse tipo.

— Por quê?

O rapaz encolheu os ombros e balançou a cabeça contrariado.

— São pessoas más.

13

Voltei para casa por volta da meia-noite. Havíamos, enfim, descoberto um assunto que interessava aos dois, e o tempo passou depressa. Soube por Gino que a mulher gorda e grisalha era a mãe de Nina. Soube também que o velho carrancudo se chamava Corrado e não era o pai da moça, mas o marido de Rosaria. Foi como debater um filme ao qual assistimos sem entender bem as relações entre os personagens, às vezes nem mesmo os nomes, e quando nos despedimos achei que eu estava com as ideias um pouco mais claras. Apenas sobre o marido de Nina eu descobri pouca coisa ou nada. Gino disse que ele se chamava Tonì, chegava no sábado e ia embora na segunda-feira pela manhã. Entendi que Gino o detestava, nem queria falar sobre ele. Eu também, afinal, tinha pouquíssima curiosidade em relação àquele homem.

O rapaz esperou gentilmente que eu fechasse o portão atrás de mim. Subi até o terceiro andar pelas escadas pouco iluminadas. Pessoas más, dissera ele. O que poderiam me fazer? Entrei no apartamento, acendi a luz e vi de novo a boneca deitada de costas no sofá, os braços virados para o teto, as pernas abertas, o rosto na minha direção. Os napolitanos haviam vasculhado a praia inteira para encontrá-la, Gino havia revirado a areia com um ancinho, obstinadamente. Fiquei vagando pela casa, ouvia-se apenas o zunido da geladeira na cozinha, e a cidadezinha também parecia quieta. Olhando-me no espelho do banheiro, descobri que meu rosto estava tenso, os olhos, inchados. Escolhi uma camiseta limpa e me preparei para dormir, embora não estivesse com sono.

A noite com Gino tinha sido agradável, mas senti que algo havia me deixado com um leve descontentamento. Escancarei a porta do terraço, e um ar fresco do mar entrou, o céu estava sem estrelas. Ele gosta de Nina, pensei, não é muito difícil perceber. E aquilo, em vez de me comover ou divertir, me fez sentir uma pontada de desagrado que se estendia até a garota, como se ela, mostrando-se todo dia na praia e atraindo-o, tirasse algo de mim.

Empurrei a boneca para o lado, deitei-me no sofá. Se Gino tivesse conhecido Bianca e Marta — perguntei a mim mesma, quase por uma questão de hábito —, de qual das duas teria gostado mais? Desde o início da adolescência das minhas filhas, fui tomada pela obsessão de compará-las com garotas da mesma idade, amigas íntimas e colegas de escola que eram consideradas bonitas e faziam sucesso. De um modo confuso, eu as considerava rivais das duas garotas, como se a autoconfiança, a sedução, a graça e a inteligência excepcionais delas tirassem algo das minhas filhas e, de alguma forma obscura, de mim. Eu me controlava, falava com gentileza, mas, ao mesmo tempo, tendia a provar para mim mesma, silenciosamente, que todas eram menos bonitas que minhas filhas ou que, se eram bonitas, eram antipáticas, vazias, e eu listava os caprichos, as tolices, os defeitos provisórios daqueles corpos em crescimento. Às vezes, ao ver Bianca ou Marta sofrendo porque se sentiam ofuscadas, eu não resistia e chegava a intervir de maneira excessiva contra aquelas amigas extrovertidas demais, atraentes demais, encantadoras demais.

Por volta dos quatorze anos, Marta tivera uma colega de escola chamada Florinda. Florinda, embora fosse da idade dela, não era uma menininha — já era uma mulher, e linda. A cada gesto, a cada sorriso dela, eu via como ela ofuscava minha filha, e sofria pensando que as duas frequentavam a mesma escola, as mesmas festas, passeavam juntas. Eu achava que, enquanto minha filha continuasse naquela companhia, a vida sem dúvida se esquivaria dela para sempre.

No entanto, Marta prezava muitíssimo a amizade de Florinda: era intensamente atraída por ela, e me parecia uma tarefa difícil e arriscada tentar separá-las. Durante algum tempo, tentei consolar minha filha por aquela afronta constante, falando de uma forma vaga, sem nunca tocar no nome de Florinda. Dizia-lhe o tempo todo: você é tão bonita, Marta, você é tão meiga, seus olhos são muito perspicazes, você se parece com sua avó, que era lindíssima. Palavras inúteis. Ela se achava não apenas menos atraente do que a amiga, mas também menos atraente do que a irmã, do que todo mundo, e ao me ouvir ficava ainda mais deprimida. Dizia que eu falava aquelas coisas porque era mãe dela, e às vezes murmurava: não quero ouvir você, mamãe, você não me vê como eu sou de verdade, me deixe em paz, vá cuidar da sua vida.

Naquela época, eu tinha uma dor de estômago constante por causa da tensão. Era o sentimento de culpa: eu achava que todo sofrimento que atingisse as minhas filhas era fruto do já comprovado fracasso do meu amor. Então logo acabei me tornando mais atormentadora. Eu dizia a ela: você se parece muito mesmo com a minha mãe. E lhe contava a minha história: na sua idade, eu também tinha certeza de que era feia, pensava "minha mãe é bonita, e eu, não". Marta me dava a entender, multiplicando seus sinais de aborrecimento, que não via a hora de que eu calasse a boca.

Por isso, ao consolá-la, eu me sentia cada vez mais melancólica. Eu pensava: como será que se reproduz a beleza? Lembrava, até bem demais, como na idade de Marta eu estava convencida de que minha mãe, ao me fazer, se afastara de mim, como quando temos um impulso de rejeição e afastamos o prato com um gesto. Eu suspeitava de que ela tivesse começado a fugir de mim quando eu ainda estava em seu ventre, embora na minha infância todos me dissessem que eu me parecia com ela. Havia semelhanças, mas para mim eram desbotadas. Nem mesmo quando descobri que os homens me achavam atraente eu me tranquilizei. Ela emanava um calor vitalíssimo, e eu, por outro lado, me sentia fria como se minhas veias fossem de metal. Eu queria ser como ela não apenas na imagem refletida no espelho ou na imobilidade das fotos. Queria ser como ela por causa da sua capacidade de se expandir e evaporar pelas ruas, no metrô ou no teleférico, nas lojas, sob os olhares de estranhos. Nenhum instrumento de reprodução consegue capturar aquela aura encantada. Nem mesmo a barriga prenhe consegue imitá-la com precisão.

Mas eis que Florinda tinha aquela aura. Quando, numa tarde chuvosa, ela e Marta voltaram da escola — e eu as vi passarem pelo corredor e pela sala de estar com sapatos pesados, manchando desleixadamente o chão de água e lama, e depois irem para a cozinha, pegarem biscoitos, afoitas, divertindo-se ao arrancá-los uma da mão da outra, e comê-los pela casa deixando migalhas por toda parte —, senti por aquela esplêndida adolescente tão desenvolta uma aversão ingovernável. Eu disse: Florinda, você se comporta assim na sua casa? Quem você acha que é? Agora, minha querida, trate de varrer e lavar o chão da casa toda, não vai sair daqui enquanto não terminar. A garota pensou que eu estivesse brincando, mas peguei vassoura, balde, esfregão e devo ter feito uma cara horrível, porque ela apenas murmurou: Marta também sujou. Marta tentou dizer "é verdade, mãe", mas eu devo ter articulado aquelas duras palavras com uma firmeza tão indiscutível que as duas logo se calaram. Florinda, aterrorizada, limpou o chão com todo o cuidado.

Minha filha ficou olhando. Depois, se fechou no quarto e não falou comigo por dias. Ela não é como Bianca: é frágil, curva-se diante da primeira mudança de tom, retira-se sem combater. Florinda desapareceu aos poucos da vida dela. De vez em quando eu perguntava como está sua amiga, e ela murmurava algumas palavras vagas ou respondia dando de ombros.

Minha ansiedade, porém, não desapareceu. Eu observava minhas filhas quando elas estavam distraídas e sentia por elas uma complicada alternância de simpatia e antipatia. Bianca é antipática, eu pensava às vezes, e sofria por isso. Depois eu descobria que ela era muito querida, tinha amigas e amigos, e sentia que só quem a achava antipática era eu, a mãe dela, e aquilo me dava remorso. Eu não gostava de sua risadinha de escárnio. Não gostava de sua ânsia de querer sempre mais do que os outros: à mesa, por exemplo, ela pegava mais comida do que todos, não para comer, mas para ter certeza de que não perderia nada, de que não seria negligenciada ou passada para trás. Eu não gostava de sua mudez teimosa quando ela percebia que havia errado, mas não conseguia admitir o erro.

Você também é assim, dizia meu marido. Talvez fosse verdade, e o que me parecia antipático em Bianca se tratasse somente do reflexo da antipatia que eu sentia por mim mesma. Ou não, não era tão simples, tudo era mais intricado. Mesmo quando reconhecia nas duas garotas aquilo que eu considerava minhas qualidades, sentia que algo não funcionava. Tinha a impressão de que elas não sabiam usá-las bem, de que a melhor parte de mim mesma, no corpo delas, resultava em um enxerto equivocado, uma paródia, e ficava com raiva, sentia vergonha.

Na verdade, pensando bem, o que eu mais amava nas minhas filhas era o que me parecia estranho. Delas — eu sentia — agradavam-me mais os traços que haviam puxado ao pai, mesmo após o fim tempestuoso do casamento. Ou os traços que tinham vindo de seus antepassados, dos quais eu nada sabia. Ou os traços que pareciam, na combinação dos organismos, uma invenção caprichosa do acaso. Em outras palavras, quanto mais eu me sentia próxima delas, mais parecia não carregar a responsabilidade por seus corpos.

Mas aquela proximidade estranha era rara. Os incômodos, os desgostos, os conflitos delas tornavam a se impor, continuamente, e eu me amargurava, sentia culpa. De alguma maneira, eu era sempre a origem e o ponto de fuga dos sofrimentos delas. Acusavam-me em silêncio ou gritando. Ressentiam-se não apenas da má distribuição das semelhanças evidentes, mas também das secretas, aquelas que percebemos tarde, a aura dos corpos, justamente, a aura que atordoa como uma bebida forte. Tons de voz quase imperceptíveis. Um gesto pequeno, um modo de bater as pálpebras, um sorriso-careta. O passo, o ombro que pende um pouquinho à esquerda, um balançar gracioso dos braços. A impalpável mistura de movimentos mínimos que, combinados de um certo modo, tornam Bianca sedutora e Marta, não, ou vice-versa, e então causam soberba, dor. Ou ódio, porque a potência da mãe parece sempre se dar de maneira injusta, desde o nicho vivo do ventre.

Já ali, segundo minhas duas filhas, comportei-me com crueldade. Tratei uma como filha, a outra como enteada. Em Bianca fiz seios grandes, Marta parece um menino — e não sabe que é linda assim, usando sutiãs acolchoados, uma fraude que a humilha. Sofro vendo-a sofrer. Quando jovem eu tinha seios grandes, mas depois do nascimento dela não tenho mais. Você deu o que tinha de melhor a Bianca, ela vive repetindo, e a mim deu o que tinha de pior. Marta é assim, se defende julgando-se usurpada.

Bianca não, Bianca desde pequena me enfrentou. Tentou arrancar de mim o segredo das minhas qualidades que a seus olhos pareciam maravilhosas e mostrar que também era capaz de tudo aquilo. Foi ela que me revelou que descasco as frutas de forma complicada, tomando cuidado para que a faca corte sem nunca partir a casca. Antes que sua admiração me fizesse descobrir isso, eu nunca havia percebido; sabe-se lá com quem aprendi, talvez seja apenas meu gosto por trabalhos ambiciosos e obstinadamente precisos. Faça uma serpente, mamãe, dizia ela, e insistia: descasque a maçã fazendo a serpente, por favor.

Haciendo serpentinas, encontrei há pouco tempo em um poema de María Guerra do qual gosto muito. Bianca ficava encantada com as *serpentinas* de casca de fruta, eram uma das várias magias que ela atribuía a mim. Agora fico comovida pensando nisso.

Certa manhã Bianca fez um corte feio no dedo ao tentar mostrar que também podia fazer a serpente. Ela tinha cinco anos e logo se desesperou: saiu sangue, junto com muitas lágrimas de decepção. Assustei-me, gritei com ela, não podia deixá-la sozinha um instante sequer, nunca tinha tempo para mim. Eu me sentia sufocada; naquela época, parecia que estava traindo a mim mesma. Recusei-me por muito tempo a beijar a ferida, o beijo que fazia passar a dor. Eu queria ensinar que ela não podia fazer aquilo, é perigoso, só a mamãe, que é grande, pode fazer isso. A mamãe.

Pobres seres que saíram da minha barriga, totalmente sozinhos agora do outro lado do mundo. Apoiei a boneca em meus joelhos, como que para ter companhia. Por que eu a pegara? Ela vigiava o amor de Nina e Elena, o vínculo das duas, a paixão recíproca. Era a testemunha resplandecente de uma maternidade serena. Levei-a ao peito. Quantas coisas estragadas, perdidas havia em meu passado, mas, naquele instante, ainda estavam presentes em um turbilhão de imagens. Senti nitidamente que não queria devolver Nani, embora sentisse remorso, medo de ficar com ela. Beijei seu rosto, sua boca, abracei-a como havia visto Elena fazer. Ela emitiu um gorgolejo que me pareceu um comentário hostil e lançou um jato de saliva marrom que sujou meus lábios e minha camiseta.

14

Dormi no sofá, com a porta do terraço aberta, e acordei tarde. A cabeça estava pesada, os ossos, triturados. Eram mais de dez horas, chovia, e um vento forte agitava o mar. Procurei a boneca, mas não a vi. Senti uma ansiedade, como se fosse possível que, durante a noite, ela tivesse se jogado do terraço. Olhei à minha volta, procurei embaixo do sofá, temendo que alguém tivesse entrado em casa e a levado. Encontrei-a na cozinha, sentada na mesa, na penumbra. Eu devia tê-la levado para lá quando fui enxaguar a boca e a camiseta.

Nada de praia, o tempo estava feio. A ideia de devolver Nani a Elena naquele mesmo dia me pareceu não apenas remota, mas impraticável. Saí para tomar café da manhã, comprar os jornais e também algo para o almoço e o jantar.

A cidadezinha tinha a animação de um dia sem sol, os veranistas faziam compras ou vagavam para passar o tempo. Acabei esbarrando em uma loja de brinquedos na orla e a ideia de comprar roupinhas para a boneca voltou à minha mente, afinal pelo menos durante aquele dia ela ficaria comigo.

Entrei como que de brincadeira, falei com uma vendedora muito jovem e solícita. Ela pegou uma calcinha, meias, sapatinhos e um vestidinho azul que me pareceram ser do tamanho certo. Eu estava prestes a sair e tinha acabado de pôr o embrulho na bolsa quando quase dei um encontrão em Corrado, o idoso de rosto cruel, aquele que eu pensava ser o pai de Nina, mas que, na verdade, era o marido de Rosaria. Estava vestido impecavelmente, de terno azul, camisa branquíssima, gravata amarela. Não pareceu me reconhecer, porém atrás dele vinha Rosaria, com um macacão para gestantes de um verde desbotado. Ela, por sua vez, logo me reconheceu e exclamou:

— Sra. Leda, como vai, tudo bem, a pomada ajudou?

Agradeci mais uma vez, falei que tudo já tinha passado e, enquanto isso, percebi com prazer, ou talvez eu devesse dizer com emoção, que Nina também se aproximava.

Quando encontramos com roupas de cidade pessoas que estamos acostumados a ver sempre na praia, elas nos causam um efeito surpreendente. Corrado e Rosaria me pareceram contraídos, rígidos, como se fossem de papelão. Nina dava a impressão de uma concha delicadamente colorida que guarda bem fechada dentro de si sua parte mole incolor e vigilante. A única com um aspecto desarrumado era Elena, agarrada ao braço da mãe e chupando o polegar. Embora a menina também estivesse usando um bonito vestidinho branco, transmitia uma sensação de desordem — devia tê-lo manchado pouco antes de sorvete de chocolate, e o polegar preso entre os lábios também tinha uma borda de saliva grudenta, marrom.

Olhei constrangida para a garotinha. A cabeça estava caída sobre o ombro de Nina, o nariz escorria. Senti como se as roupas de boneca dentro da bolsa tivessem ficado mais pesadas e pensei: este é o momento certo, direi que estou com Nani. Porém algo se contorceu violentamente dentro de mim e perguntei com falso interesse:

— Como você está, pequenina, encontrou sua boneca?

Ela foi atravessada por uma espécie de tremor de raiva, tirou o polegar da boca e tentou me acertar com o punho. Esquivei-me, e ela, irritada, escondeu o rosto no pescoço da mãe.

— Elena, não faça assim, responda à senhora — censurou-a Nina, nervosa. — Diga que vamos encontrar Nani amanhã, hoje vamos comprar outra, mais bonita.

Mas a menina sacudiu a cabeça, e Rosaria sibilou: quem a roubou merece um câncer no cérebro. Falou como se o ser dentro de sua barriga também estivesse furioso por aquela afronta e, portanto, ela tivesse o direito de guardar aquele ressentimento, um ressentimento até mais forte do que o de Nina. Corrado, entretanto, fez um gesto de reprovação, discordando. São coisas de crianças, murmurou, gostam de um brinquedo, pegam e depois dizem aos pais que o encontraram por acaso. Vendo-o de perto, pareceu-me um homem que não tinha nada de velho, e certamente não era tão mau quanto aparentava ser de longe.

— Os filhos de Carruno não são crianças — disse Rosaria.

E Nina desabafou, com um sotaque de seu dialeto muito mais forte do que de costume:

— Fizeram de propósito. Foram incentivados pela mãe a me magoar.

— Tonino telefonou. As crianças não pegaram nada.

— Carruno está mentindo.

— Mesmo que seja o caso, você já está errada só de dizer isso — repreendeu Corrado. — O que seu marido faria se ouvisse você falando assim?

Nina olhou zangada para o asfalto. Rosaria balançou a cabeça e virou-se para mim, procurando compreensão.

— Meu marido é bom demais. Vocês não sabem quanto a coitadinha da minha filha chorou, teve até febre. Estamos furiosas.

Deduzi, confusa, que tivessem atribuído a esses tais Carruno, a família da lancha, provavelmente, o desaparecimento da boneca. Concluíram, naturalmente, que os outros haviam decidido fazê-los sofrer através do sofrimento da menina.

— A menina está respirando mal, assoe o narizinho, minha linda — disse Rosaria a Elena e, ao mesmo tempo, pediu lenços de papel, mas sem palavras, só com um gesto autoritário da mão. Comecei a puxar o zíper da bolsa, mas parei bruscamente na metade, temendo que pudessem ver o que eu havia comprado e fazer perguntas. O marido dela entregou na mesma hora um de seus lenços, e ela limpou o nariz da menina, que se debateu e esperneou. Puxei de volta o zíper, verifiquei se a bolsa estava bem fechada e olhei apreensiva para a vendedora. Medos idiotas, fiquei com raiva de mim mesma. Perguntei a Nina:

— A febre foi alta?

— Poucos décimos — respondeu ela —, não é nada.

E, como para me mostrar que Elena estava em boa forma, tentou com um sorriso forçado pôr a criança no chão.

A menina se recusou com veemência. Ficou agarrada ao pescoço da mãe como se estivesse suspensa no vácuo, gritando, rejeitando o chão ao menor contato, espemeando. Nina permaneceu por um instante em uma posição incômoda, inclinada para a frente, com as mãos em volta dos quadris da filha, puxando-a para desgrudá-la do seu corpo, mas também tomando cuidado para se esquivar dos chutes. Senti que ela estava oscilando entre a paciência e a intolerância, a compreensão e a vontade de cair em prantos. Onde estava o idílio que eu havia presenciado na praia? Reconheci o constrangimento de estar sob o olhar de estranhos naquelas condições. Evidentemente fazia horas que ela tentava acalmar a menina sem sucesso e se sentia esgotada. Ao sair de casa, tinha tentado travestir a fúria da filha com um vestido bonito, belos sapatinhos. Ela mesma colocara um vestido refinado de cor vinho que lhe caía bem, prendera os cabelos, pusera brincos que chegavam até o maxilar pronunciado e oscilavam próximo ao pescoço comprido. Queria resistir ao embrutecimento, alegrar-se. Procurara se ver no espelho como era antes de pôr no mundo aquele organismo, antes de se condenar para sempre a adicioná-lo ao seu. Mas para quê?

Daqui a pouco ela vai começar a gritar, pensei; daqui a pouco vai dar um tapa na menina, tentará quebrar o vínculo assim. No entanto, o vínculo se tornará mais deformado, mais forte no remorso e na humilhação, por ela ter se revelado em público uma mãe não afetuosa, nada como a mãe da igreja ou das revistas. Elena gritava, chorava e mantinha as pernas encolhidas de forma neurótica, como se a entrada da loja de brinquedos estivesse cheia de cobras. Uma miniatura, feita de uma matéria ilogicamente animada. A menina não queria ficar de pé, queria permanecer colada à mãe. Estava assustada, pressentia que Nina ficara farta, percebia tudo aquilo pelo modo como ela se arrumara para ir à cidade, pelo cheiro rebelde da juventude, pela sua beleza ávida. Por isso se enroscava em seu corpo. A perda da boneca é uma desculpa, eu disse a mim mesma. Elena temia, acima de tudo, que a mãe escapasse dela.

Talvez Nina também tenha percebido isso ou simplesmente não aguentou mais. Sibilou em um dialeto subitamente áspero: chega, e ajeitou a filha no colo outra vez com um puxão feroz, chega, não quero ouvir nem mais um pio, entendeu, não quero ouvir mais nada, chega de birra, e puxou com força o vestidinho para baixo, sobre os joelhos, um golpe brusco que queria ter destinado ao corpo, e não à roupa. Depois se confundiu e voltou a falar italiano com uma careta de autocensura, dizendo-me de modo forçado:

— Desculpe, não sei o que fazer, ela está me deixando louca. O pai foi embora e agora ela desconta tudo em mim.

Rosaria então lhe tirou a menina do colo com um suspiro: vem com a tia, murmurou comovida. Dessa vez, Elena, incoerentemente, não ofereceu resistência alguma, cedeu logo e até abraçou o pescoço da tia. Uma pirraça para provocar a mãe ou a certeza de que aquele outro corpo — sem filhos, mas prestes a ter um, pois as crianças gostam muito daqueles que ainda não nasceram e gostam pouco ou pouquíssimo dos recém-nascidos — era naquele momento muito acolhedor, a abrigaria entre as grandes mamas, apoiada contra o ventre como se estivesse em um assento, protegendo-a dos eventuais acessos de fúria da mãe malvada, que não soubera tomar conta de sua boneca, que até mesmo a perdera. Entregou-se a Rosaria com um ímpeto exagerado de afeto, para marcar perversamente: a tia é melhor do que você, mamãe, a tia é mais boazinha, e se você continuar me tratando assim vou me refugiar para sempre nos braços dela e não vou mais querer você.

— Isso, vai, assim eu descanso um pouco — disse Nina com uma carranca de decepção e um véu de suor em cima do lábio superior, depois virou-se para mim. — Às vezes, não dá para aguentar.

— Eu sei — respondi para mostrar que estava do seu lado.

Porém Rosaria se intrometeu e murmurou, apertando a menina contra si: esses pequenos nos fazem passar poucas e boas. E lhe deu uma série de beijos estalados, murmurando sem parar para Elena, com a voz repleta de ternura: linda, linda, linda. Ela já queria fazer parte do nosso grupo, as mães. Achava que tinha esperado demais, mas que já aprendera tudo sobre aquele papel. Aliás, decidiu demonstrar logo, sobretudo para mim, que sabia acalmar Elena melhor do que a cunhada. Por isso colocou-a no chão, comporte-se direitinho, mostre para a mamãe e para a Sra. Leda como você sabe se comportar. E a menina não disse nada, ficou em pé ao seu lado chupando o polegar com uma expressão de desespero, enquanto Rosaria me perguntava, satisfeita: como eram suas filhas quando pequenas, como esse tesourinho aqui? Senti então um impulso forte para confundi-la, puni-la desnorteando-a, e disse:

— Lembro-me de pouco, nada, na verdade.

— Não pode ser, ninguém se esquece de nada dos filhos.

Fiquei calada por um instante e então respondi, tranquila:

— Eu fui embora. Abandonei-as quando a maior tinha seis anos e a menor, quatro.

— O que você está dizendo, quem as criou?
— O pai.
— E você não as viu mais?
— Peguei-as de volta três anos mais tarde.
— Que coisa horrível, por quê?
Balancei a cabeça, não sabia por quê.
— Eu estava muito cansada — disse eu.
Depois me virei para Nina, que me olhava como se nunca tivesse me visto antes:
— Às vezes, precisamos fugir para não morrer.
Sorri para ela e acenei para Elena:
— Não compre nada para ela, esqueça, de nada serve. A boneca vai aparecer. Bom dia.
Cumprimentei com a cabeça o marido de Rosaria, que me pareceu ter assumido novamente sua máscara desagradável, e saí da loja.

Agora eu estava com muita raiva de mim mesma. Nunca falava daquele período da minha vida, não o fazia nem com as minhas irmãs, nem comigo mesma. Nas vezes em que tentei tocar no assunto com Bianca e Marta, juntas ou separadas, elas me ouviram com um silêncio distraído, disseram que não se lembravam de nada e na mesma hora mudaram de assunto. Só meu ex--marido, antes de ir embora para trabalhar no Canadá, de vez em quando usava aquilo como desculpa para suas queixas e ressentimentos; mas ele era um homem inteligente e sensível, envergonhava-se daquele golpe baixo e logo mudava de assunto sem insistir. Portanto, era com razão que eu não entendia por que havia confessado aquele fato tão íntimo a estranhos, pessoas totalmente distantes de mim, que, por isso mesmo, jamais poderiam compreender meus motivos e que, naquele momento, certamente estavam falando mal de mim. Eu não suportava aquilo, não conseguia me perdoar, sentia-me exposta.

Perambulei pela praça procurando me acalmar, mas o eco das frases que eu havia pronunciado, a expressão e as palavras de reprovação de Rosaria, o tremor das pupilas de Nina me impediram, na verdade acentuaram uma irritação contida. Era inútil dizer a mim mesma que não era importante, quem eram aquelas duas, ou quando eu as veria novamente depois daquelas férias. Percebi que, se aquela opinião podia me ajudar a enxergar Rosaria de outra forma, o mesmo não acontecia em relação a Nina. Seu olhar se afastara de mim com um sobressalto, mas sem me perder: só recuara velozmente, como se procurasse um ponto distante, no fundo de suas pupilas, do qual me olhar sem riscos. Aquela necessidade urgente de distância havia me ferido.

Caminhei desinteressada entre vendedores de todo tipo de mercadoria e, enquanto isso, eu a imaginei da maneira como a vira naqueles dias: em pé, de costas, enquanto, com movimentos lentos e precisos, passava protetor nas pernas jovens, nos braços, nos ombros e, enfim, com um contorcionismo tenso, na base das costas, até onde conseguia alcançar, tanto que cheguei a sentir vontade de me levantar e dizer deixe, eu passo, ajudo você, como, quando criança, eu pensava em fazer com minha mãe, ou como fiz tantas vezes com minhas filhas. De repente, percebi que, dia após dia, sem querer, eu a envolvera de longe, com sentimentos alternados e muitas vezes contrastantes, em algo que eu não sabia decifrar, mas que era intensamente meu. Talvez fosse também por esse motivo que agora eu estava furiosa. Tinha usado instintivamente contra Rosaria um momento obscuro da minha vida e o fizera para surpreendê-la, também de certo modo para assustá-la — era uma mulher que me parecia desagradável, pérfida. Mas, na verdade, eu queria falar sobre aquelas mesmas coisas apenas com Nina, em uma situação diferente, com cuidado, para ser entendida.

Logo voltou a chover e precisei me abrigar no edifício onde ficava o mercado, entre os odores intensos de peixe, manjericão, orégano, pimentões. Ali, empurrada por adultos e crianças que chegavam correndo, rindo, molhados de chuva, comecei a passar mal. Os cheiros do mercado me davam náuseas, o ambiente me parecia cada vez mais abafado, eu estava ardendo, suava, e o frescor que chegava em ondas lá de fora, da chuva, gelava o suor sobre o meu corpo, causando-me momentos de vertigem. Conquistei um lugar na entrada, espremida pela gente que olhava a água cair em cascatas e pelas crianças que gritavam, alegremente aterrorizadas primeiro pelos relâmpagos e, em seguida, pelos trovões. Acomodei-me quase na saída para pegar apenas ar fresco e tentei controlar meus nervos.

O que eu tinha feito de tão terrível, afinal? Anos antes, havia sido uma garota que se sentia perdida, isso era verdade. Todas as esperanças da juventude já me pareciam destruídas, era como se eu estivesse caindo para trás na direção da minha mãe, da minha avó, da cadeia de mulheres mudas ou zangadas da qual eu derivava. Oportunidades perdidas. As ambições ainda eram ardentes e alimentadas pelo corpo jovem, por uma fantasia que somava um projeto a outro, mas eu sentia que meu anseio criativo era castrado cada vez mais pela realidade das obrigações da universidade e pela necessidade de explorar as oportunidades de uma possível carreira. Eu me sentia reclusa dentro da minha própria cabeça, sem possibilidade de me pôr à prova, e estava frustrada.

Aconteceram pequenos episódios alarmantes, atos anormais de desânimo, não uma destrutividade expressa simbolicamente, mas algo mais. Agora esses fatos não têm antes nem depois, voltam-me à mente sempre em uma ordem diversa. Uma tarde de inverno, por exemplo, eu estava estudando na cozinha. Trabalhava havia meses em um ensaio que, embora curto, não conseguia terminar. Nada se encaixava, as hipóteses se multiplicavam na minha cabeça, eu temia que o mesmo professor que me incentivara a escrever o ensaio não fosse mais me ajudar a publicá-lo, rechaçando-o.

Marta brincava embaixo da mesa, aos meus pés. Bianca estava sentada ao meu lado, fingia ler e escrever imitando meus gestos, minhas caretas. Não sei o que aconteceu. Talvez ela tivesse falado comigo e eu não tivesse respondido, talvez quisesse apenas começar uma das suas brincadeiras, sempre um pouco brutas — de repente, enquanto eu estava distraída procurando palavras que nunca me pareciam lógicas e apropriadas, senti minha orelha ser atingida por um tapa.

Não foi um golpe forte, Bianca tinha cinco anos, não podia me machucar de verdade. Mas eu me sobressaltei, sentindo uma dor ardente, como se uma linha negra e cortante tivesse talhado com um traço seco pensamentos já difíceis de conter — e de qualquer modo muito distantes da cozinha em que estávamos, do molho de tomate para o jantar que borbulhava no fogão, do relógio que avançava, consumindo o exíguo intervalo de tempo que eu podia dedicar à minha vontade de pesquisar, à minha criatividade, à minha aprovação, ao meu trabalho, ao meu próprio dinheiro para gastar. Acertei a menina sem pensar, em um lampejo, sem força, mal roçando a ponta dos dedos em uma bochecha.

Não faça mais isso, falei com um tom falsamente didático, e ela, sorrindo, tentou me atingir outra vez, convencida de que eu enfim tivesse iniciado uma brincadeira. Mas eu fui mais rápida e bati nela de novo, um pouco mais forte, nunca mais se atreva, Bianca; e ela riu, com a voz rouca dessa vez, com uma leve perplexidade nos olhos, e eu voltei a acertá-la, sempre com a ponta dos dedos esticados, repetidamente; não se bate na mamãe, nunca deve fazer isso, e por fim ela entendeu que eu não estava brincando, e começou a chorar desesperadamente.

Sinto as lágrimas da minha filha sob as pontas dos dedos, continuo a bater nela, devagar, tenho o gesto sob controle, mas em intervalos cada vez menores, decidida: não uma possível atitude educativa, mas violência real, contida, porém real. Saia, digo sem levantar a voz, fora, mamãe precisa trabalhar, e a seguro firme pelo braço, arrasto-a para o corredor, ela chora, grita, mas ainda tenta me atingir, e eu a deixo ali e fecho a porta atrás de mim com um empurrão preciso, não quero mais ver você.

A porta tinha um grande vidro fosco. Não sei o que aconteceu, talvez eu tenha empurrado a porta com força demais: o fato é que se fechou com um barulho alto, e o vidro se despedaçou. Bianca apareceu, os olhos arregalados, pequena, do outro lado do retângulo vazio, não gritava mais. Olhei-a estarrecida, até que ponto eu podia chegar, estava assustada comigo mesma. Ela continuava ali, imóvel, incólume, as lágrimas continuavam a escorrer, mas mudas. Esforço-me para nunca pensar naquele momento, em Marta puxando minha saia, em Bianca no corredor me fitando através do vidro quebrado: pensar nisso me faz suar frio, tira meu fôlego. Estou suando aqui também, na entrada do mercado, sufocando, e não consigo controlar meu coração.

16

Assim que a chuva diminuiu, corri para fora, cobrindo a cabeça com a bolsa. Eu não sabia aonde ir, certamente não queria voltar para casa. O que são férias na praia se chove? Asfalto com poças, roupas leves demais, pés molhados em calçados que não protegem. Restou, no fim, uma garoa leve. Fiz menção de atravessar a rua, mas parei. Na calçada em frente estavam Rosaria, Corrado e Nina com a menina no colo toda coberta por uma echarpe leve. Caminhavam depressa, tinham acabado de sair da loja de brinquedos. Rosaria segurava pela cintura, como um fardo, uma boneca nova que parecia uma criança de verdade. Não me viram, ou fingiram não me ver. Segui Nina com o olhar, na esperança de que ela se virasse.

O sol recomeçou a se infiltrar através de pequenas brechas azuis entre as nuvens. Cheguei ao meu carro, dei a partida e dirigi em direção ao mar. Eu tinha na mente lampejos de rostos, de ações — nenhuma palavra. Apareciam, desapareciam, eu não conseguia me fixar em um pensamento. Apertei dois dedos contra o peito para desacelerar o batimento cardíaco, e como se daquela maneira também pudesse desacelerar o carro. Eu achava que estava correndo demais, mas não passava de sessenta. Nunca sabemos de onde vem a velocidade do mal-estar, como avança. Estávamos na praia: lá estava Gianni, meu marido, um colega seu chamado Matteo, e Lucilla, a esposa dele, uma mulher muito instruída. Não lembro mais no que ela trabalhava, só sei que costumava me deixar em dificuldade com as meninas. Geralmente era gentil, compreensiva, não me criticava, não era cruel. Mas não conseguia resistir à vontade de seduzir minhas filhas, de fazer com que elas a amassem de maneira exclusiva, de provar para si mesma que tinha um coração ingênuo e puro — era o que ela dizia —, que palpitava em uníssono com os delas.

Assim como Rosaria. Nessas coisas, pouco importam as diferenças de cultura, de classe. Quando Matteo e Lucilla iam à nossa casa, ou viajávamos para fora da cidade, ou — como aconteceu daquela vez — saíamos de férias juntos, eu vivia tensa, minha infelicidade aumentava. Enquanto os dois homens falavam de trabalho ou de futebol ou de sei lá o quê, Lucilla nunca conversava comigo, eu não a interessava. Em vez disso, brincava com as meninas, monopolizava a atenção delas, inventava brincadeiras só para elas e participava fingindo que tinha a idade das meninas.

Eu a via sempre integralmente focada no objetivo de conquistá-las. Parava de se dedicar a elas só quando já estavam dominadas, ansiosas por passarem não uma ou duas horas, mas a vida toda com ela. Fazia criancices de uma maneira que me irritava. Eu havia ensinado minhas filhas a não fazer vozezinhas ou caretas, ao passo que Lucilla fazia muitas caretas; era daquelas mulheres que falam intencionalmente com a voz que os adultos atribuem às crianças. Falava com um tom de voz artificial e as induzia a fazer o mesmo, arrastando-as para uma forma de regressão primeiro verbal, e depois, aos poucos, de todos os seus comportamentos. Os hábitos de autonomia que eu havia imposto a elas com tanta dificuldade, necessários para que eu conseguisse ter algum tempo para mim, eram eliminados em poucos minutos assim que ela chegava. Era só Lucilla aparecer e imediatamente começava a encenar a mãe sensível, fantasiosa, sempre alegre, sempre disponível: a mãe boa. Maldita. Eu dirigia sem evitar as poças de chuva — pelo contrário, passava em cima delas de propósito, levantando longas asas de água.

Estava voltando ao meu peito toda a raiva daquela época. Assim era fácil, eu pensava. Por uma hora ou duas — em um passeio, nas férias, em uma visita — era simples e agradável divertir as crianças. Lucilla nunca se preocupava com o que vinha depois. Arruinava a minha disciplina e então, após devastar o território que me pertencia, recuava para o seu, dedicava-se ao marido, corria para o próprio trabalho, para os próprios sucessos, dos quais, aliás, não parava de se gabar com um tom de aparente modéstia. No final, eu acabava sozinha, em serviço permanente, a mãe má. Ficava rearrumando a casa bagunçada, impondo outra vez às meninas comportamentos que naquele momento elas achavam intoleráveis. A tia Lucilla disse, a tia Lucilla nos deixou fazer. Maldita, maldita.

Às vezes, mas raramente e por pouco tempo, eu saboreava uma pequena e evanescente vingança. Acontecia, por exemplo, que Lucilla chegasse nos momentos errados, quando as duas irmãzinhas estavam entretidas demais nas próprias brincadeiras, tão entretidas que as brincadeiras da tia Lucilla eram abertamente adiadas para mais tarde ou, se impostas, as entediavam. Ela fazia de conta que não era nada, mas por dentro ficava amargurada. Eu sentia que ela ficava magoada, como se fosse de fato uma coleguinha delas que fora excluída, e devo admitir que eu gostava daquilo, mas não sabia aproveitar o momento, nunca soube tirar proveito de uma vantagem. Eu logo amolecia, talvez no fundo temesse que o afeto dela pelas meninas pudesse se atenuar, e isso me desagradava. Assim, mais cedo ou mais tarde, eu acabava dizendo, como um tipo de justificativa: é que elas estão acostumadas a brincar uma com a outra, as duas têm seus hábitos, talvez sejam um pouco autossuficientes demais. Ela então se recuperava, concordava e aos poucos começava a falar mal das minhas filhas, a identificar defeitos e problemas. Bianca era muito egoísta, Marta era muito frágil, uma tinha pouca imaginação, a outra tinha demais, a mais velha vivia perigosamente fechada em si mesma, a mais nova era mimada e cheia de caprichos. Eu escutava, minha pequena desforra ia perdendo força. Sentia que Lucilla se recuperava da rejeição das meninas procurando uma maneira de me humilhar, como se eu fosse cúmplice delas. Eu voltava a sofrer.

O mal que ela me fez naquele período foi enorme. Fosse se autocelebrando durante as brincadeiras ou se sentindo amargurada quando era excluída delas, ela me fez acreditar que eu tinha errado em tudo, que eu era convencida demais, que eu não havia sido feita para ser mãe. Maldita, maldita, maldita. Devo sem dúvida ter me sentido assim aquela vez na praia. Era uma manhã de julho, Lucilla havia se apoderado de Bianca e excluído Marta das brincadeiras. Talvez a tivesse excluído porque ela era menor, talvez a considerasse mais tola, talvez porque sentisse menos prazer com ela, não sei. Ela deve ter dito algo que fez a menina chorar e me magoou. Deixei a pequena choramingando ao lado de Gianni e Matteo embaixo do guarda-sol, imersos em suas conversas, peguei minha toalha, estendi-a a poucos passos do mar e deitei-me, exasperada, ao sol. Mas Marta foi até mim, tinha dois anos e meio, três, chegou trotando para brincar, e deitou toda suja de areia na minha barriga. Detesto me sujar de areia, detesto que sujem minhas coisas. Gritei para meu marido pegar logo a menina. Ele foi correndo, percebia que eu estava com os nervos à flor da pele, temia que eu fizesse uma das minhas cenas, porque as considerava incontroláveis. Havia algum tempo que eu não fazia mais distinção entre locais públicos e privados, não me importava que as pessoas me ouvissem e me julgassem, sentia um desejo forte de pôr em ação minhas fúrias, como no teatro. Leve-a, gritei, não a suporto mais. Não sei por que eu estava com tanta raiva de Marta, coitadinha — se Lucilla havia sido má com ela, eu deveria ter protegido a minha filha. Mas era como se eu acreditasse nas críticas daquela mulher; elas me enfureciam, porém eu acreditava nelas: achava que a menina era realmente tola, que queixava-se sempre, e eu não aguentava mais.

    Gianni a pegou no colo e lançou-me um olhar que significava acalme-se. Dei as costas para ele com raiva, fui mergulhar para me livrar da areia e do calor. Quando voltei do mar, vi que ele estava brincando com Bianca e Marta na companhia de Lucilla. Ele ria, e Matteo também se aproximara. Lucilla havia mudado de opinião, decidira que agora podia brincar com Marta, ia me mostrar que era possível.

A menina — eu vi — estava sorrindo: fungava, mas estava realmente feliz. Um instante, dois. Senti que eu estava nutrindo no estômago uma energia destrutiva e toquei em uma orelha por acaso. Descobri que um brinco havia sumido. Não era nada de valor, eu gostava daqueles brincos, mas não era apegada a eles. Contudo, comecei a ficar agitada, gritei para meu marido que tinha perdido um brinco. Olhei na toalha, não estava lá, e gritei mais alto: perdi um brinco. Invadi como uma fera a brincadeira deles, disse para Marta: Viu que você me fez perder um brinco? Falei com ódio, como se ela fosse responsável por algo gravíssimo para mim, pela minha vida, depois voltei, remexi a areia com os pés, com as mãos, chegou meu marido, chegou Matteo, começaram a procurar. Só Lucilla continuou as brincadeiras com as meninas, manteve-se afastada e manteve-as afastadas da minha descompostura.

Mais tarde, em casa, gritei com meu marido, na frente de Bianca e Marta, que eu não queria mais ver aquela vaca, nunca mais, e meu marido, para ter paz, disse que tudo bem. Quando eu o deixei, ele e Lucilla tiveram um caso. Talvez ele tivesse a expectativa de que ela deixasse o marido, que cuidasse das meninas. Mas ela não fez nenhuma das duas coisas. Amou-o, isso é verdade, definitivamente, mas continuou casada e não deu mais atenção alguma a Bianca e Marta. Não sei que rumo levou sua vida, se continua com o marido, se acabou se separando e casando novamente, se criou os próprios filhos. Não sei mais nada dela. Na época, éramos garotas, quem sabe o que ela se tornou, o que pensa, o que faz.

Estacionei, atravessei o pinheiral, caíam gotas de chuva. Cheguei às dunas. O quiosque estava deserto, Gino não estava lá, nem o gerente. A praia, com a chuva, tornara-se uma ondulada crosta escura contra a qual se chocava de leve a chapa esbranquiçada do mar. Fui até os guarda-sóis dos napolitanos e parei no de Nina e Elena, onde estavam os vários brinquedos da menina, parte deles amontoados debaixo da espreguiçadeira, outros fechados em uma sacola plástica. O acaso, pensei, ou um chamado silencioso deveria atrair Nina até aqui, sozinha. Sem a menina, sem nada. Cumprimentar-nos sem surpresa. Abrir duas espreguiçadeiras, olhar o mar juntas, descrever para ela com calma minha experiência, tocando ligeiramente sua mão vez por outra.

Minhas filhas se esforçam a cada momento para ser o meu avesso. São talentosas, competentes, o pai as está encaminhando pela sua mesma estrada. Determinadas e aterrorizadas, avançam em um turbilhão pelo mundo, vão se sair muito melhor do que nós, os pais. Dois anos atrás, quando previ que iriam embora por sabe-se lá quanto tempo, escrevi para elas uma longa carta na qual contava detalhadamente como as havia abandonado. Eu não queria explicar meus motivos — quais eram? —, mas os impulsos que mais de quinze anos antes haviam me mandado para longe. Fiz duas cópias da carta, uma para cada uma, e as deixei em seus quartos. Mas nada aconteceu, nunca me responderam, nunca me disseram: vamos conversar sobre isso. Só uma vez, quando fiz uma menção levemente amarga, Bianca rebateu ao sair pela porta de casa: sorte a sua de ter tempo para escrever cartas.

Que bobagem pensar que é possível falar de si mesmo aos filhos antes que eles tenham pelo menos cinquenta anos. Querer ser vista por eles como uma pessoa e não como uma função. Dizer: sou sua história, vocês começam comigo, escutem, pode ser útil. De Nina, porém, não sou a história, Nina poderia me ver até mesmo como um futuro. Escolher como companhia uma filha estranha. Procurá-la, aproximar-se dela.

Fiquei ali parada por algum tempo, cavando com o pé até encontrar areia seca. Se tivesse levado a boneca, pensei, porém sem arrependimento, poderia enterrá-la aqui, sob a crosta de areia molhada. Teria sido perfeito, alguém a encontraria no dia seguinte. Elena não, eu gostaria que Nina a encontrasse. Então eu me aproximaria dela e diria: ficou contente? Mas eu não tinha trazido a boneca, não a pegara, sequer pensara a respeito. Em vez disso, havia comprado para Nani um vestidinho novo, sapatinhos, outra ação sem sentido. Ou, pelo menos, como para tantas pequenas coisas da minha vida, eu não conseguia achar um sentido. Fui até a beira da água, queria caminhar muito, cansar-me.

De fato, caminhei por muito tempo, a bolsa no ombro, as sandálias em uma das mãos, os pés na água. Passei somente por alguns poucos casais apaixonados. Durante o primeiro ano de vida de Marta, descobri que eu não amava mais meu marido. Um ano difícil, a pequena não dormia nunca e não me deixava dormir. O cansaço físico é uma lente de aumento. Eu estava cansada demais para estudar, para pensar, para rir, para chorar, para amar aquele homem muito inteligente, obstinado e comprometido em sua aposta com a vida, muito ausente. O amor exige energia, eu não tinha mais. Quando ele começava com carícias e beijos, eu ficava nervosa, me sentia um mero estímulo para os seus prazeres na verdade solitários.

Um dia vi bem de perto o que significa amar, a irresponsabilidade potente e exultante que o amor emana. Gianni é calabrês, nasceu em um vilarejo nas montanhas onde ele ainda tem uma velha casa da família. Nada de especial, mas o ar é puro e a paisagem é bonita. Costumávamos ir para lá, no passado, com as meninas, no Natal e na Páscoa. Fazíamos uma viagem cansativa de carro, durante a qual ele dirigia em um silêncio absorto, e eu tinha de conter os caprichos de Bianca e Marta (queriam comer alguma coisa o tempo todo, pediam brinquedos que estavam no porta-malas, queriam fazer xixi logo após já terem feito) ou tentar distraí-las com musiquinhas. Era primavera, mas o inverno resistia. Neviscava e estava prestes a escurecer. Vimos, em uma parada de descanso da estrada, um casal de pé, com frio, pedindo carona.

Gianni estacionou quase que por instinto, é um homem generoso. Eu disse que não tínhamos lugar, estávamos com as meninas, como faríamos? Os dois entraram; eram ingleses, ele grisalho, de uns quarenta anos, e ela certamente com menos de trinta. De início, fui hostil, taciturna, eles estavam complicando minha viagem, seria ainda mais difícil controlar as meninas. Meu marido foi quem mais falou, ele gostava de estabelecer contato, sobretudo com estrangeiros. Gianni era cordial, fazia perguntas sem ligar para convenções. Acabamos sabendo que os dois haviam abandonado o trabalho de forma abrupta (não lembro o que faziam) e, junto com o trabalho, as próprias famílias: ela, um jovem marido; ele, a mulher e três filhos pequenos. Estavam viajando havia alguns meses pela Europa com pouquíssimo dinheiro. O homem disse, sério: o importante é ficarmos juntos. Ela concordou e, a certa altura, dirigiu-se a mim com palavras do seguinte teor: somos obrigados a fazer tantas coisas tolas desde a infância pensando que são essenciais; o que aconteceu conosco é a única coisa sensata que me aconteceu desde que nasci.

A partir daquele momento, comecei a gostar deles. Quando chegou a hora de deixá-los, à noite, na beira da estrada ou em um posto de gasolina quase deserto, pois íamos seguir para o interior, falei ao meu marido: vamos levá-los para a nossa casa, está escuro e frio, amanhã os deixamos no pedágio mais próximo. Os dois jantaram sob os olhares intimidados das meninas, e arrumei para eles um velho sofá-cama. Agora eu tinha a impressão de que, juntos, mas também separados, emanavam uma força que se expandia a olhos vistos e me acometia, entrando pelas minhas veias, iluminando meu cérebro. Comecei a falar com uma empolgação exagerada, parecia que eu tinha um monte de coisas a dizer apenas para eles. Elogiaram meu domínio do idioma, e meu marido me definiu, com ironia, como uma extraordinária estudiosa de literatura inglesa contemporânea. Defendi-me, disse o que eu estudava especificamente, e ambos se interessaram muito pelo meu trabalho, em especial a moça — era algo que nunca acontecia.

Fiquei encantada sobretudo com ela, chamava-se Brenda. Conversei com ela a noite toda, me imaginava em seu lugar, livre, viajando com um homem desconhecido que eu desejava o tempo todo e pelo qual eu era o tempo todo desejada. Tudo começando do zero. Nenhum hábito, nenhuma sensação embotada pela previsibilidade. Eu era eu, produzia pensamentos que só eram desviados pelo fio emaranhado dos desejos e dos sonhos. Ninguém se mantinha mais preso a mim, apesar do corte do cordão umbilical. Quando se despediram de mim pela manhã, Brenda, que sabia um pouco de italiano, me perguntou se eu tinha algo de minha autoria para que ela lesse. De minha autoria; saboreei a expressão: *de minha autoria*. Dei-lhe um miserável resumo de poucas folhas, um pequeno artigo publicado dois anos antes. Por fim, foram embora, meu marido os levou de volta à estrada.

Arrumei a casa, desfiz a cama deles devagar e com tristeza e, enquanto isso, imaginei Brenda nua, senti entre suas pernas uma excitação líquida que era a minha. Sonhei, pela primeira vez desde que me casara — pela primeira vez desde o nascimento de Bianca e de Marta —, em dizer ao homem que eu havia amado, às minhas filhas: preciso ir embora. Imaginei que poderia ser acompanhada até a estrada por eles mesmos, todos os três, e me despedir com um aceno de mão enquanto eles partiam e me deixavam ali.

Uma imagem que durou. Quanto tempo fiquei sentada na barra de proteção da estrada como Brenda, fingindo ser ela. Um ou dois anos, acho, antes de ir embora de verdade. Foi um período pesado. Acho que nunca pensei em deixar minhas filhas. Parecia-me terrível, estupidamente egoísta. Mas pensava, sim, em deixar meu marido, procurava o momento certo. Você espera, se cansa, volta a esperar. Alguma coisa vai acontecer e, nesse intervalo, você se torna mais impaciente, talvez perigosa. Eu não conseguia me acalmar, nem mesmo o cansaço me acalmava.

Não sei quanto tempo fiquei caminhando. Olhei para o relógio e voltei em direção ao quiosque; meus calcanhares doíam. O céu estava limpo, o sol ardia, as pessoas voltavam a aparecer preguiçosamente na praia, algumas vestidas, outras em roupas de banho. Os guarda-sóis voltavam a se abrir, a trilha à beira-mar era uma procissão interminável que celebrava a volta das férias.

Vi em um certo ponto um grupo de garotos que distribuía algo aos banhistas. Quando cheguei perto, os reconheci — eram os jovens parentes de Nina. Distribuíam folhetos, e o faziam como se fosse uma brincadeira, cada um tendo consigo um pequeno maço. Um deles me reconheceu e disse: por que vamos entregar para ela? Peguei o folheto assim mesmo, continuei a caminhar e depois dei uma olhada no conteúdo. Nina e Rosaria tinham feito como quando alguém perde um gato ou um cachorro. No centro do papel estava uma foto feia de Elena com a boneca. Em letras grandes, um número de celular. Poucas linhas diziam, em um tom cuja intenção era ser comovente, que a garotinha estava aflita por causa do desaparecimento de sua boneca. Prometiam uma recompensa generosa a quem a tivesse achado. Dobrei o folheto com cuidado e o coloquei na bolsa, ao lado do vestido novo de Nani.

18

Voltei para casa depois do jantar, entorpecida por um vinho de má qualidade. Passei na frente do bar onde Giovanni estava sentado do lado de fora com os amigos. Ao me ver, pôs-se de pé, cumprimentou-me com um gesto, e levantou o copo de vinho como um convite. Não respondi e não fiquei com remorso pela grosseria.

Eu estava me sentindo muito infeliz. Era a sensação de estar me dissolvendo, como se eu, um montinho ordenado de poeira, tivesse sido soprada pelo vento durante todo o dia e, naquele momento, estivesse suspensa no ar, disforme. Joguei a bolsa sobre o sofá, não abri a porta do terraço nem as janelas do quarto. Entrei na cozinha para pegar um pouco de água e misturar com um remédio para dormir que eu só tomava em raríssimas ocasiões de desânimo. Enquanto bebia, notei a boneca sentada sobre a mesa e me lembrei do vestidinho que estava na bolsa. Senti vergonha. Peguei a boneca pela cabeça, carreguei-a até a sala e me joguei no sofá, apoiando-a de barriga para baixo no meu colo.

Ela era engraçada com as suas nádegas grandes, as costas retas. Vejamos se aquela roupa fica bem em você, falei em voz alta, com raiva. Peguei o vestidinho, a calcinha, as meias, os sapatos. Pus a roupa no corpinho de bruços, o tamanho estava certo. No dia seguinte eu iria direto até Nina e diria: veja, encontrei-a no pinheiral ontem no final da tarde, e hoje de manhã lhe comprei um vestidinho, para que você e sua filha possam brincar com ela. Suspirei de descontentamento. Deixei tudo no sofá e fiz menção de me levantar, mas percebi que mais daquele líquido escuro tinha saído da boca da boneca e manchado a minha saia.

Examinei seus lábios fechados: no meio havia um pequeno furo. Eram de um plástico mais macio do que o do resto do corpo, e cederam ao meu toque. Abri-os com delicadeza. O furo da boca se alargou, e a boneca ficou com um sorriso, me mostrando gengiva e dentinhos de leite. Logo tornei a fechar a boca com repulsa, e sacudi a boneca com força. Senti a água que ela tinha na barriga e imaginei a podridão do ventre, um líquido fechado, estagnado, misturado com areia. São problemas de vocês, mãe e filha, pensei, por que fui me meter?

Dormi profundamente. De manhã, pus na bolsa as roupas de praia, os livros, os cadernos, o vestidinho, a boneca e refiz o percurso rumo à praia. No carro, coloquei para tocar um velho álbum de David Bowie, e escutei durante todo o trajeto a mesma canção. "The Man Who Sold The World" fazia parte da minha juventude. Atravessei o pinheiral, fresco e úmido por causa da chuva da véspera. De vez em quando, em um tronco, eu avistava um folheto com a foto de Elena. Senti vontade de rir. Talvez o carrancudo Corrado me desse uma recompensa generosa.

Gino foi muito gentil, senti prazer em revê-lo. Já havia posto a espreguiçadeira para secar ao sol e acompanhou-me até a barraca, insistindo para carregar minha bolsa, mas sem usar um tom íntimo demais. Um rapaz inteligente e discreto, era necessário ajudá-lo, encorajá-lo a terminar os estudos. Comecei a ler, mas distraidamente. Gino também, de sua cadeira, sacou seu livro e me deu um meio sorriso, como que para enfatizar uma afinidade.

Nina ainda não havia chegado, nem Elena. Lá estavam os garotos que, no dia anterior, tinham distribuído os folhetos, e apareceram desordenadamente, atrasados e sem entusiasmo, primos, irmãos, cunhados, toda a parentada. Por último — era quase meio-dia — chegaram Rosaria e Corrado, ela na frente, de roupa de banho, ostentando a enorme barriga de grávida que não se dobra a nenhuma dieta, mas carrega assim mesmo a barriga com desenvoltura, sem complicação, e ele atrás, de regata, calções, chinelos, dando passos descuidados.

Voltei a ficar agitada, com um pouco de taquicardia. Nina, estava claro, não viria à praia. Talvez a menina estivesse doente. Encarei Rosaria insistentemente. Ela tinha um ar sombrio, nunca olhando na minha direção. Procurei então o olhar de Gino, talvez ele soubesse de algo, mas percebi que seu posto de salva-vidas estava vazio, o livro largado aberto sobre a espreguiçadeira.

Assim que vi Rosaria deixando a sombra do guarda-sol sozinha, de pernas afastadas, em direção ao mar, fui atrás dela. Ela não ficou contente em me ver e não fez nada para esconder isso. Respondeu às minhas perguntas com monossílabos, sem cordialidade.

— Como está Elena?
— Resfriada.
— Está com febre?
— Um pouco.
— E Nina?
— Nina está com a filha, o que mais pode fazer?
— Eu vi o folheto.

Ela fez uma careta de decepção.

— Falei ao meu irmão que era inútil, uma perda de tempo de merda.

Ela falava traduzindo diretamente do dialeto. Eu estava a ponto de dizer sim, é inútil, uma perda de tempo de merda: a boneca está comigo, agora vou levá-la a Elena. Mas seu tom de voz antipático me dissuadiu, eu não queria contar para ela, não queria dizer a ninguém do clã. Eu os via, naquele dia, não como um espetáculo a ser contemplado, em uma comparação dolorosa com o que me lembrava da minha infância em Nápoles; eu os via como o meu tempo, como a minha própria vida pantanosa, para a qual eu ainda escorregava de vez em quando. Eram exatamente como a parentada da qual eu tinha fugido quando garota. Eu não os suportava e, no entanto, eles não me largavam, estavam todos dentro de mim.

A existência às vezes tem uma geometria irônica. Desde os treze, quatorze anos, eu tinha aspirado ao decoro burguês, a um bom italiano, a uma vida culta e reflexiva. Nápoles me parecera uma onda que me afogaria. Eu não acreditava que a cidade jamais pudesse conter formas de vida diferentes das que eu havia conhecido quando criança, violentas ou sensualmente indolentes, tingidas com uma vulgaridade sentimental ou obtusamente entrincheiradas na defesa da própria degradação miserável. Eu sequer procurava aquelas formas, nem no passado nem em um possível futuro. Tinha ido embora como uma pessoa queimada que, aos gritos, arranca do corpo a pele carbonizada acreditando estar arrancando do corpo a própria queimadura.

O que eu mais temia, quando abandonei minhas filhas, era que Gianni, por preguiça, vingança ou necessidade, pudesse levar Bianca e Marta a Nápoles, e entregá-las à minha mãe e aos meus parentes. Eu sufocava de ansiedade, pensando: o que foi que eu fiz, fugi, mas agora permito que elas voltem para lá? As duas meninas teriam afundado lentamente no poço negro do qual eu vinha, respirando os costumes, o idioma, todos os traços que eu apagara de mim mesma quando fui embora da cidade, aos dezoito anos, para estudar em Florença, um lugar distante e, para mim, quase estrangeiro. Dissera a Gianni: faça o que quiser, mas, por favor, não as deixe com os parentes de Nápoles. Gianni gritou que, com as suas filhas, faria o que quisesse, eu não teria direito de me meter se fosse embora. Ele cuidou muito bem delas, na verdade, mas, quando ficou sobrecarregado de trabalho ou das viagens ao exterior, levou-as sem hesitação para a casa da minha mãe, para o apartamento em que nasci, para os cômodos dos quais briguei ferozmente para poder me emancipar, e as deixou lá por meses.

Vim a saber, me arrependi, mas nem por isso voltei atrás. Eu estava longe, sentia-me outra pessoa, finalmente eu mesma, e acabei deixando que as meninas fossem expostas às feridas da minha cidade natal, as mesmas que, na minha pele, eu considerava incuráveis. Minha mãe foi ótima na época, cuidou delas, desgastou-se, contudo eu não lhe mostrei gratidão, nem por isso nem por qualquer outro motivo. Derramei a raiva secreta que nutria contra mim mesma sobre ela. Mais tarde, quando fui buscar minhas filhas e as levei de volta a Florença, acusei-a de tê-las marcado negativamente como havia feito comigo. Acusações caluniosas. Ela se defendeu, reagiu mal, ficou muito desgostosa e morreu pouco tempo depois, talvez envenenada pela própria infelicidade. A última coisa que me disse, pouco antes de morrer, foi, em um dialeto fragmentado: estou sentindo um pouco de frio, Leda, e estou me cagando de medo.

Quantas coisas gritei para ela que não deveria nem mesmo ter pensado. Eu queria — depois de ter retornado — que minhas filhas dependessem apenas de mim. Às vezes, até achava que as tinha feito sozinha, já não me lembrava mais nada de Gianni, nada de intimamente físico, as pernas, o tórax, o sexo, o sabor, como se jamais tivéssemos sequer nos encostado. Quando, mais tarde, ele foi embora para o Canadá, aquela impressão se consolidou, parecia que eu havia nutrido as meninas apenas de mim mesma, sentia nelas somente a linhagem feminina da minha descendência, para o bem e para o mal. Por isso, minha ansiedade aumentou. Durante alguns anos, Bianca e Marta foram mal na escola, obviamente estavam desorientadas. Eu as perseguia, as pressionava, as atormentava. Dizia: o que vocês querem fazer da vida, onde querem acabar, querem retroceder, degradar-se, anular todos os esforços que eu e seu pai fizemos, regredir e ser como a avó de vocês, que só tem o diploma do primário? Para Bianca, eu murmurava, deprimida: falei com os seus professores, que papelão você me fez fazer. Eu via as duas saindo dos trilhos, pareciam-me cada vez mais pretensiosas e ignorantes. Tinha certeza de que acabariam encalhando nos estudos, em tudo, e houve um período em que eu só me sentia bem quando sabia que estavam sendo disciplinadas. Então começaram a ir bem na escola, as sombras das mulheres da minha família estavam se dissipando.

Coitada da mamãe. O que, no fim das contas, ela havia transmitido de tão ruim às meninas? Nada, um pouco de dialeto. Graças a ela, Bianca e Marta hoje sabem imitar bem a cadência napolitana e algumas expressões. Quando estão de bom humor, riem de mim. Exageram meu sotaque, até mesmo pelo telefone, do Canadá. Zombam de forma cruel do timbre dialetal que emerge da minha maneira de falar os idiomas, ou de certas expressões napolitanas que uso, italianizando-as. Uma perda de tempo de merda. Sorrio para Rosaria, procuro algo para dizer, finjo boas maneiras, embora ela não tenha nenhuma. Sim, minhas filhas me humilham, sobretudo com o inglês, envergonham-se de como falo, percebi nas vezes em que fomos ao exterior juntas. É o idioma do meu ofício, imaginei que o usava irrepreensivelmente. Elas, porém, insistem que não levo jeito, e têm razão. Na verdade, apesar de ter fugido, não fui muito longe. Se eu quiser, em um instante posso voltar a ser como essa mulher, Rosaria. Seria um pouco difícil, é claro. Minha mãe sabia se alternar sem dificuldades entre a ficção da bela senhora pequeno-burguesa ao surto atormentado sobre a sua infelicidade. Eu demoraria um pouco mais, mas conseguiria. As duas garotas, por sua vez, elas sim, realmente tinham se distanciado. Pertencem a outro tempo. Eu as perdi para o futuro.

Sorrio mais uma vez, constrangida, mas Rosaria não sorri de volta, e a conversa se encerra. Oscilo, a essa altura, entre uma aversão assustada em relação a essa mulher e uma simpatia triste. Imagino que ela vá parir sem perder o fôlego, em duas horas vai expelir a si mesma e, junto, outra como ela. No dia seguinte estará de pé, terá muito leite, um rio de leite substancioso, voltará à batalha, vigilante e violenta. Está claro, agora, que ela não quer que eu veja a cunhada, julga-a — imagino — uma pentelha que se acha superior, uma fresca que, quando grávida, vivia reclamando e não parava de vomitar. Para ela, Nina é mole, instável, exposta a todo tipo de má influência, e eu, depois das coisas feias que confessei, não sou mais considerada uma boa amiga de praia. Por isso quer protegê-la de mim, teme que eu encha a cabeça da cunhada de caraminholas. Fica de guarda no lugar do irmão, o homem com o ventre cortado. Pessoas más, dissera Gino. Fiquei mais um pouco com os pés na água, não sabia o que dizer para ela. Como um ímã, o tempo de ontem, de hoje, estava atraindo todas as épocas da minha vida. Voltei para o guarda-sol.

Ali pensei no que faria, e por fim me decidi. Peguei a bolsa, os sapatos, amarrei uma canga na cintura e me afastei, rumo ao pinheiral, deixando sobre a espreguiçadeira meus livros e, pendurado em uma das pontas do guarda-sol, meu vestido.

Gino dissera que os napolitanos moravam em uma mansão nas dunas, atrás do pinheiral. Segui a linha divisória entre as agulhas e a areia, na sombra, no sol. Dali a pouco, vi a mansão, uma construção pretensiosa de dois andares entre juncos, oleandros e eucaliptos. As cigarras, àquela hora, estavam ensurdecedoras.

Entrei pelo mato, em busca de uma trilha que me levasse até a casa. Nesse meio-tempo, tirei o folheto da bolsa e liguei para o número de celular que estava indicado. Eu esperava que Nina atendesse, e aguardei. Enquanto o telefone chamava, ouvi o toque incômodo de um celular no meio do bosque, à minha direita, e em seguida a voz de Nina, que dizia, rindo: vamos, chega, pare com isso, me deixe atender.

Interrompi a ligação bruscamente, vasculhei com os olhos a direção de onde havia saído a voz. Vi Nina com um vestido leve de cor clara, apoiada em um tronco. Gino a beijava. Ela parecia aceitar o beijo, mas com os olhos abertos, divertidos, alarmados, enquanto afastava com doçura a mão que procurava seu seio.

19

Fui nadar um pouco e depois me deitei com as costas para o sol, o rosto afundado entre os braços. Da posição em que estava, vi o rapaz voltar, descendo das dunas com passos largos, a cabeça abaixada. Quando retornou ao seu posto, tentou ler, mas não conseguiu e ficou olhando para o mar por muito tempo. Senti que o leve desagrado da noite anterior havia se transformado em hostilidade. Parecia tão bom rapaz, fez-me companhia por horas, mostrou-se atento, sensível. Disse que temia as reações ferozes dos parentes, do marido de Nina, alertou-me. No entanto, ele não conseguia se conter, expunha a si mesmo e a moça a sabe-se lá quais riscos. Ele a provocava, a atraía para si justamente quando ela estava mais frágil, esmagada pelo peso da filha. Assim como eu os descobrira, podiam ser descobertos por qualquer um. Senti-me descontente em relação a ambos.

O fato de tê-los surpreendido havia me causado, não sei como dizer, uma perturbação. Era uma emoção confusa, somava o visto ao não visto, suscitava-me calor e um frio suado. O beijo deles ainda ardia, esquentava meu estômago, deixava em minha boca um sabor de saliva morna. Não era uma sensação adulta, mas infantil, sentia-me como uma menina trêmula. Haviam retornado fantasias muito distantes, imagens falsas, inventadas, como, quando criança, eu imaginava que minha mãe saía de casa em segredo, de dia e de noite, para encontrar seus amantes, e eu sentia no meu corpo a alegria que ela vivenciava. Agora parecia que estava despertando no fundo da minha barriga uma substância sarrenta que havia ficado em repouso por décadas.

Levantei da espreguiçadeira, agitada, e apanhei minhas coisas com pressa. Eu estava errada, disse a mim mesma, a partida de Bianca e Marta não me fizera bem. Parecia ter feito isso, mas não era verdade. Há quanto tempo não ligava para elas, precisava ouvi-las. Desancorar-se, sentir-se leve não é algo positivo, é uma crueldade consigo mesmo e com os outros. Preciso encontrar uma maneira de dizer isso a Nina. Que sentido tem um caso de verão, como uma adolescente, enquanto a filha está doente. Ela havia me parecido tão extraordinária quando estava com Elena, com a boneca, embaixo da barraca, ou sob o sol, à beira-mar. Muitas vezes, alternavam-se pegando areia molhada com uma colherzinha de sorvete e fingiam alimentar Nani. Como ficavam bem juntas. Elena brincava por horas a fio, sozinha ou com a mãe, e dava para ver que era feliz. Pensei que havia mais potência erótica na sua relação com a boneca, ali ao lado de Nina, do que em todo o eros que vivenciaria ao crescer e envelhecer. Deixei a praia sem olhar uma vez sequer na direção de Gino e de Rosaria.

Dirigi até em casa pela estrada deserta, a cabeça repleta de imagens e vozes. Quando retornei para as meninas — já faz tanto tempo —, os dias voltaram a ser pesados, o sexo era uma prática esporádica e, portanto, quieta, sem expectativas. Os homens, antes mesmo de dar um beijo, esclareciam, com uma educada convicção, que não tinham intenção alguma de deixar a esposa, ou que tinham hábitos de solteirões dos quais não queriam abrir mão, ou que excluíam a possibilidade de assumir a responsabilidade pela minha vida e das minhas filhas. Nunca me queixei — na verdade, parecia-me previsível e, por isso, razoável. Eu havia decidido que a temporada das paixões terminara, três anos haviam sido suficientes.

Porém, naquela manhã em que desfiz a cama de Brenda e de seu amante, quando abri a janela para eliminar o cheiro deles, parecia que eu havia descoberto no meu corpo um pedido por prazer que não tinha nada a ver com o das minhas primeiras relações sexuais aos dezesseis anos, o sexo incômodo e insatisfatório com o meu futuro marido, as práticas conjugais antes e, sobretudo, depois do nascimento das meninas. A partir do encontro com Brenda e seu homem, nasceram novas expectativas. Senti pela primeira vez, como um empurrão dentro do peito, que eu precisava de algo diferente, mas fiquei incomodada ao dizer isso para mim mesma, pareciam pensamentos inadequados para a minha condição, para as ambições de uma mulher culta e sábia.

Passaram-se dias, semanas, os rastros dos dois apaixonados esmaeceram definitivamente. Mas eu não sosseguei — em vez disso, uma espécie de desordem dominou as minhas fantasias. Com meu marido, ficava calada, nunca tentei violar nossos hábitos sexuais, nem mesmo o jargão erótico que havíamos construído ao longo dos anos. No entanto, quando estudava, fazia compras, ficava na fila para pagar uma conta, me perdia de repente em desejos que me constrangiam e, ao mesmo tempo, me excitavam. Eu ficava envergonhada, sobretudo quando esses desejos afloravam enquanto eu estava cuidando das meninas. Eu cantava com elas, lia histórias antes que dormissem, ajudava Marta a comer, dava banho nelas, as vestia e, ao mesmo tempo, me sentia indigna, não sabia como me acalmar.

Certa manhã, meu professor me ligou da universidade e disse que havia sido convidado para um congresso internacional sobre E. M. Forster. Aconselhava-me a ir também, era a matéria que eu estudava, ele julgava que seria muito útil para o meu trabalho. Que trabalho, eu não produzia nada, e ele também não havia feito muita coisa para facilitar minha vida. Agradeci. Eu não tinha dinheiro, não tinha nada para vestir, meu marido passava por um período ruim e andava muito ocupado. Depois de dias e dias de ansiedade e depressão, decidi que não iria. Mas o professor pareceu contrariado, disse que eu estava desperdiçando meu talento; fiquei com raiva, não falei mais com ele por um tempo. Quando ele voltou a me procurar, me comunicou que tinha encontrado uma maneira para que eu não pagasse pela viagem e pela hospedagem.

Não pude mais recusar. Organizei cada minuto dos quatro dias em que estaria ausente: comida pronta na geladeira, visitas de amigas contentes em ajudar um cientista meio maluco, uma estudante depressiva pronta para cuidar das meninas caso o pai tivesse reuniões de última hora. Parti deixando tudo minuciosamente em ordem, só Marta estava um pouco resfriada.

O avião para Londres estava cheio de acadêmicos renomados e jovens acadêmicos, meus rivais, geralmente muito mais presentes e atentos do que eu na corrida por um emprego. O professor que havia me convidado ficou na dele, pensativo. Era um homem arredio, com dois filhos crescidos, uma esposa refinada e gentil, muita experiência de ensino, uma cultura infinita; todavia, era acometido por ataques de pânico sempre que precisava falar em público. Durante o voo, apenas revisou a própria palestra e assim que chegou ao hotel me pediu para lê-la e ver se me convencia. Eu li, acalmei-o, disse que estava maravilhosa, aquela era minha função. E ele saiu correndo e não o vi durante toda a primeira manhã de trabalho. Reapareceu apenas no final da tarde, justamente quando era sua vez de falar. Recitou o texto tranquilamente, em inglês, mas, quando recebeu algumas críticas, contrariou-se, respondeu seco, foi se trancar no quarto e não saiu nem para jantar. Fiquei em uma mesa com outros desgarrados como eu, quase sempre em silêncio.

Revi-o no dia seguinte. Havia uma palestra muito esperada, a do professor Hardy, um estudioso muito admirado, de uma universidade prestigiosa. Meu professor sequer me cumprimentou, estava com outras pessoas. Encontrei um lugar no fundo da sala, abri diligentemente meu caderno de anotações. Hardy apareceu: era um homem de uns cinquenta anos, baixinho, magro, com um rosto agradável e os olhos extraordinariamente azuis. Ele falava em um tom de voz baixo e envolvente, e depois de algum tempo surpreendi a mim mesma, me perguntando se gostaria que ele me tocasse, acariciasse, beijasse.

Falou durante dez minutos e, de repente, como se a voz viesse de dentro da minha alucinação erótica e não do microfone ao qual ele estava falando, eu o ouvi pronunciar meu nome, depois meu sobrenome.

Não acreditei, porém senti que estava ruborizando. Ele prosseguiu — era um orador habilidoso, usava o texto escrito como um simples guia, naquele momento estava improvisando. Repetiu meu sobrenome uma, duas, três vezes. Vi que meus colegas da universidade estavam me procurando pela sala com os olhos; eu tremia, estava com as mãos suadas. Meu professor também se virou com ar estupefato, retribuí seu olhar. O acadêmico inglês estava citando um trecho do meu artigo, o único que eu havia publicado até aquele momento, o mesmo que eu dera tempos antes a Brenda. Ele o citava com admiração, discutia um trecho em pormenores, usava-o para articular melhor seu discurso. Saí da sala assim que ele encerrou a palestra e os aplausos se iniciaram.

Corri para o meu quarto. Eu sentia como se todos os líquidos em meu corpo estivessem fervendo sob a pele, estava cheia de orgulho. Liguei para meu marido, em Florença. Contei-lhe quase aos berros, por telefone, aquela coisa incrível que havia acontecido comigo. Ele disse sim, muito bem, fico contente, e anunciou que Marta estava com catapora; estava confirmado, o médico não tinha dúvidas. Desliguei. A catapora de Marta procurou um espaço dentro de mim com a costumeira onda de ansiedade, mas, em vez do vazio dos últimos anos, encontrou um furor alegre, uma sensação de poder, uma confusão jubilosa de triunfo intelectual e prazer físico. O que é uma catapora, pensei, Bianca também tivera, vai passar. Eu estava cheia de mim mesma. Eu, eu, eu: isso é o que sou, isso é o que sei fazer, isso é o que *devo* fazer.

Meu professor ligou para o meu quarto. Não havia familiaridade alguma entre nós, ele não era um homem amigável. Falava sempre com uma voz rouca um pouco irritada, nunca tinha me considerado grande coisa. Havia se conformado com as minhas pressões de pós-graduanda ambiciosa, mas sem fazer promessas, geralmente jogando nas minhas costas as tarefas mais maçantes. Porém, naquela ocasião, falou com gentileza, confundiu-se, murmurou elogios ao meu talento. Disse, entre outras coisas: agora você deverá se empenhar mais, tente concluir logo um novo ensaio, uma outra publicação é importante; vou informar a Hardy como estamos trabalhando, pode apostar que ele vai querer conhecê-la. Insistiu: é certo.

No almoço, quis que eu me sentasse ao seu lado, e eu logo percebi, com uma nova onda de prazer, que, à minha volta, tudo havia mudado. De assistente anônima, sem direito a nem mesmo uma breve apresentação científica no fim do dia, em uma hora eu havia me tornado uma jovem acadêmica com uma pequena fama internacional. Os italianos vieram me felicitar um a um, jovens e velhos. Depois apareceram alguns estrangeiros. Por fim, Hardy entrou na sala, alguém falou em seu ouvido e acenou para a mesa à qual eu estava sentada. Ele me olhou por um instante, encaminhou-se para a sua mesa, parou, deu meia-volta e veio se apresentar. Apresentar-se para mim, educadamente.

Depois, meu professor me disse ao pé do ouvido: ele é um estudioso sério, mas trabalha muito, está envelhecendo, fica entediado. E acrescentou: se você fosse homem, ou feiosa, ou velha, teria esperado na própria mesa a devida homenagem e, depois disso, a teria despachado com uma frase fria e gentil. Pareceu-me uma maldade. Quando fez menções maliciosas à hipótese de que Hardy certamente voltaria ao ataque à noite, murmurei: talvez ele esteja mesmo interessado no fato de eu ter escrito uma contribuição importante. Ele nada respondeu, resmungou um sim e não fez comentários quando eu disse, quase sem conseguir me conter de alegria, que o professor Hardy havia me convidado para a sua mesa.

Jantei com Hardy. Fui espirituosa e desenvolta, bebi bastante. Depois demos um longo passeio e, ao voltar, eram duas da manhã, ele me convidou para ir ao quarto dele. Fez o convite com uma elegância espirituosa, discretamente, e eu aceitei. Eu sempre havia considerado o sexo uma realidade extrema muito viscosa, o contato menos mediado possível com outro corpo. Mas, a partir daquela experiência, tive certeza de que é um produto extremo da fantasia. Quanto maior o prazer, mais o outro é apenas um sonho, uma reação noturna do ventre, dos seios, da boca, do ânus, de cada centímetro isolado de pele a carícias e golpes de uma entidade indefinida definível de acordo com as necessidades do momento. Não sei o que pus naquele encontro, e me pareceu que eu havia amado aquele homem desde sempre — embora tivesse acabado de conhecê-lo — e desejado somente ele.

Gianni, quando voltei, me repreendeu por ter ligado apenas duas vezes em quatro dias, quando Marta estava doente. Eu respondi: estive muito ocupada. Disse também que, depois do que havia acontecido, precisaria trabalhar muito para estar à altura da situação. Comecei a passar, em sinal de provocação, dez horas por dia na universidade. Desde a nossa volta a Florença, meu professor, com repentina disponibilidade, fez o possível para que eu logo publicasse um novo trabalho, e colaborou ativamente com Hardy para que eu fosse trabalhar por algum tempo na universidade dele. Entrei em uma fase de frenética e dolorosa atividade. Eu trabalhava muito e, ao mesmo tempo, sofria, pois achava que não podia viver sem Hardy. Escrevia longas cartas para ele, telefonava. Se Gianni, especialmente no fim de semana, estava em casa, eu corria para um telefone público, arrastando Bianca e Marta comigo para não levantar suspeitas. Bianca escutava os telefonemas e, embora fossem em inglês, captava tudo sem entender; eu tinha conhecimento disso, mas não sabia o que fazer. As meninas ficavam ali ao meu lado, mudas e confusas, eu nunca esqueci, nunca esquecerei. Todavia, eu irradiava prazer contra a minha própria vontade, sussurrava frases carinhosas, respondia a alusões obscenas e fazia alusões obscenas. Só ficava atenta — quando puxavam minha saia, quando diziam que estavam com fome ou queriam um sorvete ou um balão do vendedor que estava a um passo dali — para não gritar chega, vou embora, vocês não vão mais me ver, exatamente como minha mãe fazia quando estava desesperada. Ela nunca nos deixou, mesmo gritando para nós que o faria; já eu deixei minhas filhas quase sem aviso.

Dirigi como se não estivesse ao volante, nem reparei na estrada. Pelas janelas, entrava um vento quente. Estacionei embaixo de casa, estava com Bianca e Marta diante dos olhos, amedrontadas, pequenas como tinham sido dezoito anos antes. Eu estava em brasa e logo entrei embaixo do chuveiro. Água fria. Deixei-a escorrer pelo meu corpo demoradamente, fixando a areia que deslizava, negra, das minhas pernas, dos meus pés, para o branco do piso do boxe. O calor passou quase na mesma hora. Caiu pelo meu corpo o frio da asa torta, *the chill of the crooked wing*. Enxugar-se, vestir-se. Eu havia ensinado aquele verso de Auden às minhas filhas, o usávamos como uma frase cúmplice para dizer que um lugar não nos agradava ou que estávamos de mau humor ou, simplesmente, que fazia um dia feio e gelado. Filhas infelizes, obrigadas a serem cultas até mesmo em seu léxico familiar, desde pequenas. Peguei a bolsa, levei-a para o terraço sob o sol, virei seu conteúdo sobre a mesa. A boneca caiu de lado, eu lhe disse algo como costumamos dizer a um gato ou a um cão, depois ouvi minha voz e me calei de súbito. Decidi cuidar de Nani, para me fazer companhia, para me acalmar. Procurei álcool, eu queria apagar os riscos à caneta de seu rosto e de seu corpo. Esfreguei-a com cuidado, mas não deu muito certo. Nani, venha cá, minha linda. Vamos vestir a calcinha, as meias, os sapatos. Vamos pôr o vestidinho. Como você está elegante. Fiquei surpresa com aquele apelido, que agora, sozinha, eu usava facilmente para chamá-la. Por que, entre os vários apelidos que Elena e Nina usavam, eu havia escolhido justamente aquele? Olhei meu caderno, eu havia anotado todos. Neni, Nile, Nilotta, Nanicchia, Nanuccia, Nennella. Nani. Tem água na sua barriga, meu amor. Você mantém a sua escuridão líquida na sua barriga. Enquanto isso, fiquei sentada sob o sol, ao lado da mesa, enxugando os cabelos, remexendo-os vez por outra com os dedos. O mar estava verde.

 Eu também escondia muitas coisas obscuras, em silêncio. O remorso da ingratidão, por exemplo, a Brenda. Foi ela quem deu a Hardy meu texto, ele mesmo me contou. Não sei por que cargas d'água se conheciam, não quis saber o que deviam um ao outro. Hoje sei apenas que minhas páginas nunca teriam ganhado atenção não fosse por Brenda. Mas, na época, eu não contei a ninguém, nem mesmo a Gianni, nem mesmo ao meu professor, e, sobretudo, nunca a procurei. É algo que só admiti na carta que escrevi às garotas dois anos atrás, que elas nem sequer leram. Escrevi: eu precisava acreditar que havia feito tudo sozinha. Queria sentir a mim mesma de forma cada vez mais intensa, os meus méritos, a autonomia das minhas qualidades.

Nesse meio-tempo, aconteceu uma coisa atrás da outra, como se fosse a confirmação daquilo que eu sempre havia esperado. Eu tinha talento; não precisava fingir qualquer tipo de superioridade como fazia minha mãe; eu era realmente uma criatura fora do comum. Meu professor de Florença enfim se convenceu disso. O prestigioso e elegante professor Hardy se convenceu disso; parecia acreditar nisso mais do que todos. Parti para a Inglaterra, voltei, parti de novo. Meu marido ficou alarmado, o que estava acontecendo? Protestou dizendo que não conseguia dar conta do trabalho e das meninas ao mesmo tempo. Respondi que ia deixá-lo. Ele não entendeu, pensou que eu tinha depressão, procurou soluções, ligou para a minha mãe, gritou que eu devia pensar nas meninas. Expliquei que não podia mais viver com ele, eu precisava entender quem eu era, quais eram as minhas verdadeiras possibilidades e outras frases assim. Eu não podia lhe dizer aos berros que já sabia tudo sobre mim mesma, que estava com mil ideias novas, estudando, amando outros homens, apaixonando-me por qualquer um que dissesse que eu era talentosa, inteligente, que me ajudasse a me testar. Ele se acalmou. Por algum tempo, tentou ser compreensivo, depois achou que eu estava mentindo, ficou com raiva, partiu para os insultos. Até que, a certa altura, gritou faça o que quiser, vá embora.

Ele nunca acreditara que eu pudesse realmente ir embora sem as meninas. Mas eu as deixei com ele, fui embora por dois meses, nunca telefonei. Foi ele que ficou me caçando à distância, me atormentando. Quando voltei, foi só para empacotar de vez meus livros e anotações.

Naquela ocasião, comprei roupinhas para Bianca e Marta, levei para elas de presente. Quiseram que eu as ajudasse a vesti-las, eram magras e macias. Meu marido me levou para um canto gentilmente, me pediu para tentar outra vez, começou a chorar, disse que me amava. Respondi que não. Brigamos, tranquei-me na cozinha. Depois de um tempo, ouvi batidas delicadas à porta. Bianca entrou séria, seguida pela irmã um pouco acanhada. Bianca pegou uma laranja da fruteira, abriu uma gaveta, me estendeu uma faca. Não entendi; estava correndo atrás das minhas fúrias, não via a hora de fugir daquela casa, esquecê-la e esquecer tudo a seu respeito. Faz a serpente para a gente, ela pediu, também em nome de Marta, e Marta sorriu para mim, encorajando-me. Sentaram-se à minha frente esperando, assumiram poses de mulherezinhas comportadas e elegantes, com seus vestidos novos. Tudo bem, eu disse, peguei a laranja e comecei a descascá-la. As meninas me encaravam. Eu sentia os olhares delas procurando me amansar, mas, com mais força, sentia o fulgor da vida fora delas, novas cores, novos corpos, nova inteligência, um idioma a dominar como se fosse meu verdadeiro idioma, e nada, nada que parecesse conciliável com aquele espaço doméstico no qual ambas me encaravam, à espera. Ah, torná-las invisíveis, não ouvir mais as exigências de sua carne como pedidos mais prementes, mais potentes do que os que vinham da minha. Terminei de descascar a laranja e fui embora. A partir de então, por três anos, não as vi nem ouvi mais.

O interfone tocou, uma descarga elétrica violenta que chegou até o terraço.

Olhei o relógio automaticamente. Eram duas da tarde, eu não conhecia ninguém na cidade com quem tivesse intimidade suficiente para aparecer àquela hora. O nome de Gino, passou depois pela minha cabeça. Ele sabia onde eu morava, talvez tivesse vindo em busca de um conselho.

O interfone tocou outra vez, um som menos decidido, mais breve. Saí do terraço, fui atender.

— Quem é?
— Giovanni.

Suspirei, melhor ele do que as palavras presas na minha cabeça; apertei o botão que abria o portão. Eu estava descalça e fui procurar as sandálias, abotoei a blusa, ajustei a saia no corpo, ajeitei os cabelos ainda úmidos. Assim que a campainha tocou, abri a porta. Deparei-me com ele queimado de sol, os cabelos branquíssimos penteados com cuidado, uma camisa um pouco escandalosa, calça azul com um vinco impecável, sapatos brilhantes e um embrulho na mão.

— Vou tomar só um minutinho do seu tempo.
— Entre.
— Vi o carro e pensei: ela já voltou.
— Venha, fique à vontade.
— Não quero incomodar, mas, se você gosta de peixe, este aqui acabou de ser pescado.

Ele entrou, estendeu o embrulho para mim. Fechei a porta, peguei o presente, forcei um sorriso e disse:

— É muita gentileza.
— Já almoçou?
— Não.
— Este aqui pode ser comido até cru.
— Eu teria nojo.
— Então pode ser frito e comido ainda bem quente.
— Não sei limpar peixe.

De tímido, ele passou bruscamente a invasivo. Conhecia a casa, foi direto até a cozinha, começou a tirar as vísceras do peixe.

— Não vou demorar nada — disse ele —, dois minutos.

Fiquei olhando ironicamente enquanto, com movimentos precisos, ele extraía as entranhas daquela criatura sem vida e, depois, jogava fora as escamas como se quisesse arrancar de seus corpos o brilho, as cores. Pensei que, provavelmente, os amigos estavam esperando no bar para saber se sua empreitada tivera êxito. Pensei que já havia cometido o erro de tê-lo deixado entrar e que, se minha suposição tinha fundamento, de qualquer forma ele ficaria ali o tempo necessário para tornar plausível aquilo que contaria em seguida. Os homens sempre têm alguma coisa de patético, em qualquer idade. Uma arrogância frágil, uma audácia pávida. Hoje, não sei mais dizer se alguma vez me suscitaram amor ou apenas uma afetuosa compreensão pelas suas fraquezas. Giovanni, pensei, a despeito do desfecho, iria se gabar de uma ereção prodigiosa com a forasteira, sem remédios e apesar da idade.

— Onde você guarda o óleo?

Ele se encarregou da fritura com competência, atropelando palavras nervosas como se o pensamento fosse mais rápido do que a construção das frases. Elogiou o passado, quando o mar tinha muito mais peixes e eles eram realmente bons. Falou da mulher, que havia morrido três anos antes, e dos filhos. Disse também:

— Meu primeiro filho é muito mais velho do que você.

— Não acredito, eu sou velha.

— Velha nada, você deve ter no máximo quarenta anos.

— Não.

— Quarenta e dois, quarenta e três.

— Tenho quarenta e oito, Giovanni, e duas filhas grandes, uma de vinte e quatro anos e outra de vinte e dois.

— Meu filho tem cinquenta anos, nasceu quando eu tinha dezenove, e minha mulher só dezessete.

— Você tem sessenta e nove anos?

— Sim, e tenho três netos.

— Não parece.

— Tudo aparência.

Abri a única garrafa de vinho que eu tinha, um tinto comprado no supermercado, e comemos o peixe na mesa da sala, sentados um ao lado do outro no sofá. O peixe se revelou extraordinariamente gostoso. Comecei a falar muito, me sentia tranquilizada pelo som da minha voz. Falei do trabalho, das minhas filhas, sobretudo delas. Disse: nunca me deram preocupação. Estudaram bem, sempre passaram de ano, se formaram com as melhores notas, vão se tornar duas cientistas excelentes, como o pai. Agora vivem no Canadá, uma está lá — digamos — para aperfeiçoar os estudos, e a mais velha, a trabalho. Estou feliz, cumpri meu dever de mãe, mantive-as distante de todos os perigos de hoje em dia.

Eu falava e ele escutava. De vez em quando, dizia coisas sobre si mesmo. O filho mais velho era agrimensor, a mulher dele trabalhava nos correios; a segunda havia se casado com um bom rapaz, o que tinha a banca de jornal na praça; o terceiro era sua cruz, não quis estudar, só ganhava alguma coisa no verão levando turistas para passear de barco; a mais nova estava um pouco atrasada nos estudos, tivera uma doença gravíssima, mas agora estava para se formar na faculdade, seria a primeira da família.

Também falou com muita ternura dos netinhos, eram todos do filho mais velho, os outros não, nada de filhos. Criou-se uma atmosfera agradável, comecei a me sentir à vontade, uma sensação de adesão positiva às coisas, o sabor do peixe — eram salmonetes —, a taça de vinho, a luz que irradiava do mar e batia no vidro. Ele falava dos netos, eu comecei a falar de quando minhas filhas eram pequenas. Uma vez, vinte anos atrás, na neve, como nos divertimos, eu e Bianca; ela tinha três anos, usava um macacão cor-de-rosa, o capuz debruado de pelos brancos, e as bochechas estavam bem vermelhinhas. Arrastávamos um pequeno trenó até o topo de um morro, depois Bianca se sentou na frente, eu atrás, abraçou-me a ela e descemos, a toda velocidade, as duas gritando de alegria, e quando estávamos lá embaixo o tom de rosa do macacão da menina não existia mais, nem o vermelho das bochechas; tudo havia desaparecido sob uma camada de lascas brilhosas de gelo, só dava para ver seus olhos felizes e o buraco de sua boca que dizia: de novo, mamãe.

Eu falava e me vinham à mente apenas momentos felizes, sentia uma nostalgia não triste, mas agradável, dos corpinhos delas, da vontade que elas tinham de me ouvir, lamber, beijar, apertar. Marta ficava espiando da janela de casa, todo dia, aguardando o meu retorno do trabalho e, assim que me avistava, ninguém conseguia segurá-la: ela abria a porta da escada, descia correndo, um corpinho macio, ávido por mim, corria tanto que eu temia que caísse, eu acenava para ela ir devagar, não corra, era muito nova, porém ágil e segura; eu largava a bolsa, me ajoelhava, abria os braços para acolhê-la, e ela se jogava contra o meu corpo como um projétil, quase me derrubava, eu a abraçava, ela me abraçava.

O tempo passa, falei, leva os corpinhos delas, restam apenas na memória dos nossos braços. Crescem, ficam da sua altura, se tornam mais altas. Marta, com dezesseis anos, já era mais alta do que eu. Bianca permaneceu miúda, bate na minha orelha. Às vezes, sentam-se no meu colo como quando eram pequenas, falam ao mesmo tempo, me acariciam, me beijam. Suspeito de que Marta cresceu ansiosa por minha causa, tentando me proteger como se ela fosse grande, e eu, pequena; foi esse esforço que a tornou tão ressentida, com um sentimento forte de inadequação. Mas são coisas sobre as quais não tenho certeza. Bianca, por exemplo, é como o pai, não é expansiva, mas também às vezes me dava a impressão de que, com as suas frases secas, duras, mais ordens do que pedidos, queria me reeducar pelo meu próprio bem. Os filhos são assim, às vezes amam com afagos, outras vezes tentam mudá-la totalmente, reinventando você, como se achassem que cresceu mal e que é dever deles ensinar a como estar no mundo, a música que você deve ouvir, os livros que deve ler, os filmes que deve assistir, as palavras que deve ou não usar porque são velhas, ninguém as usa mais.

— Acham que sabem mais do que nós — confirmou Giovanni.

— Às vezes é verdade — respondi —, porque somam ao que lhes ensinamos aquilo que aprenderam fora de nós, em seu tempo, que é sempre outro, não é mais o nosso.

— Um tempo mais feio.

— Você acha?

— Nós os mimamos, são cheios de vontades.

— Não sei.

— Quando criança, o que eu tinha? Um revólver de madeira. Na coronha, tinha um pregador de roupa, no cano, um elástico. No elástico, colocávamos uma pedrinha, como nas atiradeiras, e a prendíamos ao pregador e ao elástico. Era assim que o revólver ficava carregado. Quando você queria atirar, abria o pregador, e a pedrinha saía voando.

Olhei para ele com simpatia, eu estava mudando de ideia. Agora ele me parecia um homem tranquilo, eu não achava mais que ele tinha subido para que seus companheiros achassem que estávamos tendo um caso. Ele só estava procurando uma pequena gratificação para atenuar o golpe das desilusões. Queria conversar com uma mulher que vinha de Florença, tinha um belo carro, roupas finas como na televisão, e estava de férias sozinha.

— Hoje eles têm tudo, as pessoas fazem dívidas para comprar besteiras. Minha mulher não desperdiçava um centavo, mas as mulheres de hoje jogam dinheiro pela janela.

Também aquela maneira de se queixar do presente, do passado próximo, e idealizar o passado remoto não me incomodava, como geralmente acontece. Parecia-me mais uma maneira, como tantas outras, de convencer a si mesmo de que sempre existe um fino galho da própria vida ao qual se agarrar e, ali suspenso, se acostumar à necessidade de cair. Que sentido tinha polemizar com ele, dizendo: eu fiz parte de uma onda de mulheres novas, tentei ser diferente da sua mulher, talvez até da sua filha, não gosto do seu passado. Por que começar a discutir, melhor essa cantilena calma de discursos batidos. A certa altura, ele disse, em um tom melancólico:

— Minha mulher dava para as crianças chuparem, quando pequenas, um pedaço de pano com um pouco de açúcar dentro para que ficassem quietas.

— A *pupatella*.

— Você também conhece?

— Minha avó a preparou uma vez para a minha segunda filha, que vivia chorando, ninguém sabia o que ela tinha.

— Está vendo? Agora, em vez disso, levam as crianças ao médico, querem tratar pais e filhos, acham que todos estão doentes, pais, mães e recém-nascidos.

Enquanto ele continuava a elogiar os velhos tempos, lembrei-me da minha avó. Na época, ela devia ter mais ou menos a mesma idade daquele homem, acho, mas era pequena, encurvada, havia nascido em 1916. Eu tinha ido visitar Nápoles com as duas meninas, cansada como sempre, brigada com o meu marido, que devia ter me acompanhado, mas, no último momento, ficou em Florença. Marta estava berrando, ninguém encontrava mais sua chupeta, minha mãe me censurava porque, dizia, eu havia acostumado a menina a ficar sempre com aquele troço na boca. Comecei a brigar, estava farta, ela me criticava sempre. Então minha avó pegou um pedaço de esponja, cobriu de açúcar, pôs dentro de uma gaze — de uma caixa de doces, imagino — e amarrou uma fitinha em volta. Surgiu um ser minúsculo, um fantasma com uma roupinha branca que escondia seu corpo e os pés. Acalmei-me como se estivesse diante de um encantamento. Marta também, no colo da bisavó, apertou os lábios em torno da cabecinha branca daquele duende e parou de chorar. Até minha mãe ficou quieta, divertindo-se, e disse que sua mãe me calava assim quando eu era bem pequena e ela saía; era só eu não a ver mais que começava a gritar e chorar.

Sorri, inebriada pelo vinho, e apoiei a cabeça no ombro de Giovanni.

— Você está se sentindo mal? — perguntou ele, constrangido.

— Não, estou bem.

— Deite um pouco.

Deitei-me no sofá, e ele ficou sentando ao meu lado.

— Já vai passar.

— Não preciso que nada passe, Giovanni, estou ótima — disse a ele com ternura.

Olhei pela janela, no céu havia apenas uma nuvem branca e fina, e apenas estavam visíveis os olhos azuis de Nani; ela ficara sentada sobre a mesa, a testa arredondada, a cabeça semicalva. Bianca, eu amamentei, Marta, não; ela não pegava o peito de jeito nenhum, chorava, e eu ficava desesperada. Queria ser uma boa mãe, uma mãe irrepreensível, mas o corpo se negava. Às vezes, eu pensava nas mulheres do passado, sobrecarregadas com filhos em demasia, nos ritos que as ajudavam a curar ou a controlar os pequenos, mais encapetados: deixá-los uma noite sozinhos no bosque, por exemplo, ou mergulhá-los em uma fonte de água gelada.

— Quer que eu faça um café?
— Não, obrigada, fique aqui, não se mexa.

Fechei os olhos. Voltou-me à mente Nina, com as costas apoiadas no tronco da árvore; pensei no seu pescoço comprido, no seu peito. Pensei nos mamilos em que Elena havia mamado. Pensei em como ela agarrava a boneca para mostrar à pequena como se amamenta uma criança. Pensei na menina que imitava a pose, o gesto. Sim, foi bom o início das férias. Eu sentia a necessidade de ampliar aquele prazer para me afastar da angústia do presente. No fim das contas, precisamos sobretudo de ternura, mesmo que seja fingida. Reabri os olhos.

— Sua cor voltou, antes você estava bastante pálida.
— Às vezes o mar me cansa.

Giovanni se levantou e disse, hesitante, apontando para o terraço:

— Se me permite, vou fumar um cigarro.

Ele saiu, acendeu um cigarro, e fui até ele.

— É sua? — perguntou, apontando para a boneca, mas como se quisesse dizer algo inteligente para parecer importante.

Assenti com a cabeça.

— Chama-se Mina, é o meu amuleto.

Ele pegou a boneca pelo busto, mas ficou desconcertado e a pôs de volta no lugar.

— Tem água dentro dela.

Eu não disse nada, não sabia o que dizer.

Ele me olhou com ar circunspecto, como se algo em mim, por um instante, o tivesse alarmado.

— Você ouviu falar — perguntou — daquela pobre menina cuja boneca foi roubada?

Obriguei-me a estudar e o fiz durante boa parte da noite. Desde o início da adolescência, aprendi a ser muito disciplinada: afasto os pensamentos, adormeço as dores e as humilhações, ponho em um canto as ansiedades.

Parei por volta das quatro da manhã. A dor nas costas tinha voltado, bem no ponto em que a pinha me acertara. Dormi até as nove, depois tomei café da manhã no terraço, de frente para um mar que estremecia com o vento. Nani havia ficado ao ar livre, sentada na mesa, seu vestidinho estava úmido. Por uma fração de segundo, achei que ela estava movendo os lábios e me mostrando a ponta vermelha da língua de brincadeira.

Eu estava sem vontade de ir à praia, não queria nem mesmo sair de casa. Aborrecia-me ter que passar ao lado do bar e ver Giovanni batendo papo com os amigos, porém eu sentia que havia urgência em resolver a questão da boneca. Olhei para Nani com tristeza, acariciei uma de suas bochechas. A dor de perdê-la não havia se atenuado — pelo contrário, aumentara. Eu estava confusa, às vezes parecia que Elena poderia ficar bem sem ela, mas eu, não. Por outro lado, eu havia sido descuidada, deixara Giovanni entrar em casa sem tê-la escondido antes. Pela primeira vez pensei em interromper as férias, ir embora naquele mesmo dia ou no dia seguinte. Depois ri de mim mesma, até onde eu estava me deixando ir, planejando fugir como se tivesse raptado uma menina, e não uma boneca. Tirei a mesa, me lavei, e me maquiei com cuidado. Pus um vestido bonito e saí.

Na cidadezinha, era dia de feira. A praça, a avenida principal, as ruas e vielas laterais eram um labirinto de barracas fechado ao trânsito, enquanto nos arredores do vilarejo o trânsito estava engarrafado como em uma metrópole. Misturei-me a uma multidão, sobretudo de mulheres que remexiam em mercadorias das mais variadas — vestidos, paletós, casacos, impermeáveis, chapéus, sapatos, bugigangas, utensílios domésticos de todo tipo, antiguidades verdadeiras e falsas, plantas, queijos, salames, hortaliças, frutas, pinturas grosseiras de cenas marítimas, frascos milagrosos de herboristas. Gosto de feiras, especialmente das barracas de roupas usadas e de objetos de brechó. Compro de tudo: vestidos, blusas, calças, brincos, broches, bibelôs. Parei para vasculhar as quinquilharias, um peso de papel feito de cristal, um velho ferro de passar, um binóculo de teatro, um cavalo-marinho de metal, uma cafeteira napolitana. Eu estava examinando um longo alfinete de chapéu com a ponta reluzente, perigosamente comprida e afiada, com uma bela cabeça de âmbar negro, quando meu celular tocou. Minhas filhas, pensei, embora o horário fosse improvável. Olhei para a tela, não havia o nome nem de uma nem de outra, mas um número de celular que me pareceu familiar. Atendi.

— É a Sra. Leda?

— Sim.

— Sou a mãe da menina que perdeu a boneca, a que...

Fiquei surpresa, senti ansiedade e prazer, meu coração disparou dentro do peito.

— Oi, Nina.

— Eu queria ver se esse número era seu.

— É, sim.

— Eu a vi ontem no pinheiral.

— Também vi você.

— Gostaria de falar com a senhora.

— Tudo bem, me diga quando.

— Agora.

— Agora estou na cidade, na feira.

— Eu sei, estou seguindo a senhora há dez minutos. Mas a perco de vista o tempo todo, tem gente demais.

— Estou ao lado da fonte. Tem uma barraca de objetos antigos, não sairei daqui.

Pressionei o peito com dois dedos para acalmar meus batimentos cardíacos. Mexi nos objetos, examinei alguns, mas de forma mecânica, sem interesse. Nina apareceu entre a multidão, empurrava Elena no carrinho. De vez em quando, segurava com uma das mãos o chapéu que o marido lhe dera de presente, para evitar que fosse carregado pelo vento do mar.

— Bom dia — eu disse à menina, que estava com o olhar cansado e a chupeta na boca —, passou a febre?

Nina respondeu pela filha:

— Ela está bem, mas não se conforma, quer a boneca de volta.

Elena tirou a chupeta da boca e disse:

— Ela precisa tomar remédio.

— Nani está doente?

— Está com a criança na barriga.

Olhei para ela confusa.

— A criança dela está doente?

Nina interveio com um leve constrangimento, rindo.

— É uma brincadeira. Minha cunhada toma os comprimidos e ela faz de conta que os dá à boneca também.

— Nani também está grávida?

A jovem respondeu:

— Ela decidiu que a tia e a boneca estão as duas esperando um filho. Não é, Elena?

O chapéu saiu voando, eu o peguei. Os cabelos de Nina estavam presos, seu rosto ficava mais bonito assim.

— Obrigada, com o vento não fica no lugar.

— Espere — disse eu.

Ajeitei o chapéu com cuidado e usei o longo alfinete com a cabeça de âmbar para prendê-lo nos cabelos dela.

— Pronto, assim não vai mais cair. Mas fique atenta por conta da menina, desinfete-o bem em casa, pode facilmente causar um arranhão feio.

Perguntei ao homem da barraca quanto custava. Nina queria pagar, mas não deixei.

— É só uma lembrancinha.

Depois começamos a conversar mais informalmente, falei para ela não me chamar mais de senhora. Ela resistiu, disse que ficava sem graça, mas depois cedeu. Reclamou do cansaço daqueles dias, a menina andava impossível.

— Vamos, minha lindinha, largue essa chupeta — disse ela —, não queremos fazer um papelão na frente da Leda.

Ela falava da filha com inquietação. Disse que, depois que perdeu a boneca, Elena havia regredido, queria ficar no colo ou no carrinho e tinha até voltado a querer a chupeta. Olhou à sua volta como se estivesse procurando um lugar mais tranquilo e empurrou o carrinho na direção dos jardins. Revelou, suspirando, que estava realmente cansada, e reforçou "cansada", queria deixar claro para mim que não era apenas o cansaço físico. De repente, começou a rir, mas entendi que ela não estava rindo de alegria, que havia um mal-estar.

— Sei que você me viu com Gino, mas não pense mal de mim.

— Não penso mal de nada nem de ninguém.

— Sim, logo se vê. Assim que a vi, disse a mim mesma: quero ser como aquela senhora.

— O que tenho de especial?

— Você é bonita, fina, dá para ver que sabe muitas coisas.

— Eu não sei nada.

Ela balançou a cabeça energicamente.

— Você parece muito segura de si, não tem medo de nada. Percebi desde a primeira vez que chegou na praia. Eu ficava olhando e esperando que você olhasse na minha direção, mas você nunca olhava.

Demos umas voltas pelas alamedas do jardim, e ela voltou a falar do pinheiral, de Gino.

— O que você viu não significa nada.

— Bem, não minta.

— É verdade, eu o afasto e mantenho os lábios fechados. Só quero voltar por alguns instantes a ser uma garota, mas de mentirinha.

— Quantos anos você tinha quando Elena nasceu?

— Dezenove, Elena tem quase três anos.

— Talvez você tenha se tornado mãe cedo demais.

Ela negou firmemente com a cabeça.

— Estou feliz com Elena, estou feliz com tudo. É tudo culpa destes últimos dias. Se eu encontrar quem está fazendo minha filha sofrer...

— O que você vai fazer? — perguntei com ironia.

— Eu é que sei.

Acariciei-lhe rapidamente o braço como se quisesse amansá--la. Ela parecia estar imitando, por obrigação, os tons de voz e as expressões da família, até acentuou a cadência napolitana para ser mais convincente, e senti algo parecido com ternura.

— Estou bem — repetiu várias vezes, e me contou como se apaixonou pelo marido, conheceu-o em uma boate, aos dezesseis anos. Ele a amava, adorava tanto a mulher quanto a filha. Riu nervosamente mais uma vez.

— Ele diz que meus seios são do tamanho exato da mão dele.

A frase me pareceu vulgar, e perguntei:

— E se ele visse você como eu vi?

Nina ficou séria.

— Cortaria meu pescoço.

Olhei para ela, para a menina.

— O que você quer de mim?

Ela balançou a cabeça e murmurou:

— Não sei. Conversar um pouco. Quando vejo você na praia, sinto que gostaria de ficar o dia inteiro embaixo do seu guarda-sol batendo papo. Mas você se chatearia, sou uma tonta. Gino me disse que você é professora em uma universidade. Eu me matriculei em letras depois do ensino médio, mas só cursei duas matérias.

— Você não trabalha?

Ela riu outra vez.

— Meu marido trabalha.

— O que ele faz?

Esquivou-se da pergunta com um gesto rude, e um lampejo de hostilidade passou por seus olhos. Finalmente ela disse:

— Não quero falar dele. Rosaria está fazendo compras, pode me chamar a qualquer momento e aí nosso tempo terá acabado.

— Ela não quer que você fale comigo?

Nina fez uma careta de raiva.

— Na opinião dela, não devo fazer nada.

Calou-se por um momento, depois disse, hesitante:

— Posso fazer uma pergunta íntima?

— Vamos ver.

— Por que você deixou suas filhas?

Pensei, procurei uma resposta que pudesse ajudá-la.

— Eu as amava demais e achava que o amor por elas impedia que eu me tornasse eu mesma.

Percebi que ela não estava mais rindo sem parar, mas prestando atenção a cada uma das minhas palavras.

— Você não as viu nenhuma vez em três anos?

Fiz que sim com a cabeça.

— E como se sentiu sem elas?

A FILHA PERDIDA 143

— Bem. Era como se todo o meu eu tivesse desmoronado, e os meus pedaços caíssem livremente por todos os lados com uma sensação de contentamento.

— Você não sentia tristeza?

— Não, eu estava ocupada demais com a minha vida. Mas eu tinha um peso aqui, como se fosse uma dor no estômago. E me virava com o coração pulando todas as vezes que ouvia uma criança chamar a mãe.

— Então você estava mal, e não bem.

— Eu estava como alguém que conquista a própria existência e sente um monte de coisas ao mesmo tempo, entre elas uma ausência insuportável.

Ela me olhou com hostilidade.

— Se você estava bem, por que voltou?

Escolhi as palavras com bastante cuidado.

— Porque percebi que eu não era capaz de criar nada meu que pudesse realmente estar à altura delas.

De repente, ela abriu um sorriso de satisfação.

— Então você voltou por amor às suas filhas?

— Não, voltei pelo mesmo motivo que me fez ir embora: por amor a mim mesma.

Seu rosto se fechou novamente.

— O que isso quer dizer?

— Que me senti mais inútil e desesperada sem elas do que com elas.

Nina tentou explorar meu interior com os olhos: no peito, atrás da testa.

— Você encontrou o que estava procurando e não gostou?

Sorri.

— Nina, o que eu estava procurando era um emaranhado confuso de desejos e muita presunção. Se eu tivesse tido azar, teria levado a vida toda para perceber. Mas tive sorte e demorei só três anos. Três anos e trinta e seis dias.

Ela pareceu insatisfeita com a resposta.

— O que aconteceu para você decidir voltar?

— Uma manhã, descobri que a única coisa que eu realmente desejava fazer era descascar frutas fazendo serpentes enquanto minhas filhas me observavam, e então comecei a chorar.

— Não entendi.

— Se tivermos tempo, contarei a você.

Ela concordou de forma bem nítida, para que eu entendesse que tudo o que queria era ficar escutando, e enquanto isso percebeu que Elena havia adormecido, e tirou-lhe delicadamente a chupeta, a enrolou em um lenço de papel e pôs na bolsa. Fez uma careta graciosa para me mostrar o afeto que sentia pela filha e recomeçou:

— E depois da sua volta?

— Resignei-me a viver pouco para mim e muito para as duas meninas. Aos poucos, consegui.

— Então passa — disse Nina.

— O quê?

Ela fez um gesto para indicar uma vertigem, mas também uma sensação de náusea.

— O desnorteamento.

Lembrei-me de minha mãe e respondi:

— Minha mãe usava outra palavra, chamava de despedaçamento.

Ela reconheceu o sentimento na palavra e fez uma cara de menina assustada.

— É verdade, seu coração se despedaça. Você não aguenta ficar junto a si mesma e tem certos pensamentos que não pode dizer em voz alta.

Depois voltou a me fazer perguntas, agora com a expressão dócil de quem busca um afago, e disse:

— De qualquer maneira, passa.

Pensei que nem Bianca nem Marta jamais tentaram me fazer perguntas como as que Nina fazia, no tom insistente que ela estava usando comigo. Procurei as palavras para mentir para ela dizendo a verdade.

— Para minha mãe, isso se transformou em uma doença. Mas ela era de uma outra época. Hoje podemos viver muito bem mesmo se não passar.

Eu a vi hesitar, estava para dizer algo mais e desistiu. Percebi dentro dela uma necessidade de me abraçar, o mesmo que eu estava sentindo. Era um sentimento de gratidão que se manifestava como uma urgência de contato.

— Preciso ir — disse ela, e me beijou instintivamente na boca de forma leve e envergonhada.

Quando recuou, vi atrás dela, no fundo do jardim, em meio às barracas e à multidão, Rosaria e o irmão, o marido de Nina.

Falei baixinho:

— Sua cunhada e seu marido estão aqui.

Um lampejo de surpresa e irritação percorreu-lhe os olhos, mas ela ficou calma, nem fez menção de se virar.

— Meu marido?

— É.

O dialeto ganhou força, e ela murmurou: que merda esse babaca está fazendo aqui, devia vir amanhã à noite, e girou o carrinho com cautela para não acordar a menina.

— Posso ligar para você? — perguntou.

— Quando quiser.

Nina balançou a mão animadamente em sinal de cumprimento, o marido retribuiu.

— Acompanhe-me — disse ela.

Acompanhei-a. A semelhança entre os dois irmãos, parados na entrada da alameda, chamou minha atenção pela primeira vez. A mesma estatura, o mesmo rosto largo, o mesmo pescoço robusto, o mesmo lábio inferior marcado e grosso. Pensei, surpresa comigo mesma, que eram bonitos: corpos sólidos, bem firmes no asfalto da rua como plantas acostumadas a sugar até o mais exíguo fluido aquoso. São carcaças robustas, disse a mim mesma, nada pode detê-los. Eu não, eu tenho apenas restrições. O medo que tenho dessa gente desde a infância, às vezes a repulsa, e também minha presunção de ter um destino superior, uma alta sensibilidade, que me impediram até agora de admirar a determinação deles. Onde está a regra que faz Nina ser bonita e Rosaria não? Onde está a regra que faz Gino ser bonito e esse marido ameaçador não? Olhei para a mulher grávida, e me pareceu que eu via, além da barriga envolta por um vestido amarelo, a filha que dela se nutria. Pensei em Elena, que dormia prostrada no carrinho, e na boneca. Eu queria ir para casa.

Nina beijou o marido no rosto e disse, em dialeto: estou muito feliz por você ter vindo antes. E acrescentou, quando ele já se inclinava para beijar a filha: está dormindo, não a acorde, você sabe que ela me atormentou estes dias. E depois, indicando-me com a mão: lembra-se da senhora, foi ela que encontrou Lenuccia. O homem beijou de leve a testa da menina, está suada, disse também em dialeto, tem certeza de que não está mais com febre? E, ao se levantar — vi sua barriga grande na camisa —, se dirigiu a mim com cordialidade, sempre em dialeto: a senhora ainda está aqui, sorte sua que não tem nada a fazer. E Rosaria logo acrescentou séria, mas controlando melhor as palavras: a senhora trabalha, Tonì, a senhora dá duro até mesmo na praia, não é como nós que ficamos à toa, bom dia, senhora Leda. E foram embora.

Vi Nina passar um braço em volta do braço do marido e afastar-se sem olhar para trás nem por um instante. Falava, ria. Ela parecia ter sido empurrada de repente — magra demais como era, entre o marido e a cunhada — a uma distância muito maior do que a que me separava das minhas filhas.

Fora da área da feira o tráfego estava um caos, fluxos intricados de adultos e crianças que ou se afastavam das barracas ou para elas confluíam. Enveredei por ruelas desertas. Subi as escadas até o meu apartamento, galguei o último lance com uma sensação de urgência.

A boneca ainda estava em cima da mesa do terraço, o sol havia secado seu vestido. Despi-a com delicadeza, tirei tudo. Lembrei que Marta, quando pequena, tinha o costume de enfiar coisas em cada buraquinho que via, como se quisesse escondê--las e ter certeza de que as reencontraria. Uma vez, encontrei minúsculos pedaços de espaguete cru dentro do rádio. Levei Nani para o banheiro, segurei-a pelo peito com uma das mãos, com a cabeça voltada para baixo. Sacudi-a com força, ela jorrou gotas de água escura pela boca.

O que Elena pusera ali dentro? Fiquei muito feliz ao saber, quando estava grávida, que dentro de mim uma vida se formava. Eu queria fazer tudo da melhor maneira. As mulheres da minha família inchavam, dilatavam. A criança estabelecida no ventre delas parecia uma longa doença que as transformava, mesmo depois do parto não voltavam mais a ser as mesmas. Já eu queria uma gravidez vigiada. Eu não era minha avó (sete filhos), não era minha mãe (quatro filhas), não era minhas tias, minhas primas. Eu era diferente e rebelde. Queria carregar minha barriga inchada com prazer, aproveitando os nove meses de espera, espiando, guiando e adaptando meu corpo à gestação, como eu havia feito teimosamente com tudo na minha vida desde o início da adolescência. Eu me imaginava como uma peça fulgurante do mosaico do futuro. Por isso me cuidei, segui rigorosamente as prescrições médicas. Consegui permanecer bonita, elegante, ativa e feliz durante todo o período da gravidez. Eu falava com a criança na barriga, fazia com que ela ouvisse música, lia no original os textos em que eu estava trabalhando, traduzia-os com um esforço inventivo que me enchia de orgulho. O que depois se tornou Bianca já era Bianca para mim desde o início, um ser em seu melhor estado, purificado de fluidos e sangue, humanizado, intelectualizado, sem nada que pudesse evocar a crueldade cega da matéria viva em expansão. Até minhas longas e furiosas dores do parto consegui subjugar, moldando-as como uma prova extrema a ser enfrentada com sólida preparação, contendo o terror e deixando de mim — especialmente para mim mesma — uma lembrança digna.

Fui bem-sucedida. Como fiquei feliz quando Bianca saiu de dentro de mim e veio para os meus braços por alguns segundos, e percebi que ela havia sido o prazer mais intenso da minha vida. Olhando agora para Nani de cabeça para baixo, vomitando na pia um jato escuro misturado com areia, não conseguia encontrar semelhança alguma com a minha primeira gravidez — na época até mesmos os enjoos foram breves e contidos. Mas depois veio Marta. Foi ela que agrediu meu corpo, obrigando-o a revirar-se sem controle. Ela se manifestou desde o início não como Marta, mas como um pedaço de ferro vivo na barriga. Meu corpo se tornou um licor sanguinolento, e suspenso nele havia um sedimento mole dentro do qual crescia um pólipo furioso, tão distante de qualquer humanidade que me reduziu, ainda que ele se nutrisse e expandisse, a uma matéria pútrida sem vida. Nani, com seu cuspe preto, parecia comigo quando fiquei grávida pela segunda vez.

Eu já estava infeliz naquela época, mas não sabia. Parecia que a pequena Bianca, logo após seu lindo nascimento, havia mudado de maneira brusca e roubado traiçoeiramente toda a minha energia, toda a minha força, toda a minha capacidade de fantasia. Parecia que meu marido, ocupado demais com a sua fúria de progredir, sequer percebia que sua filha, depois de nascer, havia se tornado voraz, exigente, desagradável como nunca me parecera dentro da barriga. Descobri aos poucos que eu não tinha a força para tornar a segunda experiência tão emocionante quanto a primeira. Minha cabeça afundou para dentro do corpo, parecia que não havia prosa, verso, figura de linguagem, frase musical, sequência de filme ou cor capaz de domesticar a fera sombria que eu carregava no ventre. Aquela foi a verdadeira derrocada para mim: a renúncia a qualquer sublimação da minha gravidez, a desconstrução da mesma lembrança feliz da primeira gestação, do primeiro parto.

Nani, Nani. A boneca, impassível, continuava a vomitar. Você jogou na pia todo o seu limo, muito bem. Abri os lábios dela, alarguei com um dedo o furo da boca, deixei a água da torneira escorrer dentro dela e depois a sacudi forte para lavar bem a cavidade turva do tronco, do ventre, e enfim retirar a criança que Elena havia posto dentro dela. Brincadeiras. Dizer às meninas tudo, desde a infância: mais tarde, elas é que vão pensar em inventar para si um mundo aceitável. Eu mesma estava brincando naquele momento, uma mãe não é nada além de uma filha que brinca, aquilo me ajudava a refletir. Procurei minha pinça de sobrancelhas, tinha algo na boca da boneca que não queria sair. Recomeçarei a partir daqui, pensei, desta coisa. Eu deveria ter percebido logo, desde pequena, esse inchaço avermelhado e mole que agora aperto entre o metal da pinça. Aceitá-lo por aquilo que é. Pobre criatura sem nada de humano. Lá estava a criança que Lenuccia tinha inserido na barriga de sua boneca para brincar de torná-la grávida como a tia Rosaria. Retirei-o delicadamente. Era uma minhoca da praia, não sei qual é o nome científico; uma daquelas que os pescadores amadores do anoitecer arranjam, cavando na areia molhada, como faziam meus primos mais velhos quatro décadas antes, nas praias entre Garigliano e Gaeta. Eu os observava, na época, com um nojo encantado. Pegavam as minhocas com os dedos e as perfuravam com o anzol como isca para os peixes que, quando fisgados, eram liberados do ferro com um gesto experiente, e, lançados por cima dos ombros, ficavam agonizando sobre a areia seca.

Eu mantinha abertos com o polegar os lábios maleáveis de Nani enquanto operava lentamente com a pinça. Tenho horror a tudo o que rasteja, mas daquela massa de secreções senti uma pena desnuda.

23

Fui à praia no fim da tarde. Observei Nina à distância, do meu guarda-sol, de novo com a curiosidade benévola dos primeiros dias de férias. Ela estava nervosa, Elena não a deixava um instante.

Ao pôr do sol, enquanto ela se preparava para voltar para casa e a menina gritava porque queria dar mais um mergulho e Rosaria se intrometia oferecendo-se para levá-la na água, Nina perdeu a calma e começou a gritar com a cunhada em um dialeto ríspido, cheio de vulgaridade, e chamou a atenção da praia inteira. Rosaria ficou calada. Tonino, o marido de Nina, interveio e a arrastou para a orla, segurando-a pelo braço. Era um homem que parecia treinado para nunca perder a calma, nem mesmo quando seus gestos se tornavam violentos. Falou com Nina com firmeza, mas, como em um filme mudo, não ouvi nenhum som sair de sua boca. Ela encarava a areia, tocava os olhos com as pontas dos dedos, de vez em quando dizia não.

A situação aos poucos se normalizou, e a família se encaminhou em grupos para a mansão no pinheiral, Nina trocando palavras frias com Rosaria, Rosaria levando Elena no colo e, de vez em quando, enchendo-a de beijos. Vi Gino arrumando as cadeiras, as espreguiçadeiras, os brinquedos largados. Percebi que ele recolhia uma canga azul que havia ficado pendurada em um guarda-sol e o dobrava com um cuidado absorto. Um garotinho voltou correndo, tirou bruscamente a canga das mãos dele quase sem desacelerar e desapareceu rumo às dunas.

O tempo fugiu de uma forma melancólica e chegou o fim de semana. O grande afluxo de banhistas começou intenso já na sexta-feira. Fazia calor. A multidão fez com que a tensão de Nina aumentasse. Ela vigiava obsessivamente a filha, pondo-se de pé como um animal assim que a via se afastar poucos passos. Trocamos cumprimentos tensos à beira-mar e algumas palavras sobre a menina. Ajoelhei-me ao lado de Elena, disse algo de brincadeira; ela estava com os olhos vermelhos e tinha picadas de pernilongo em uma bochecha e na testa. Rosaria também veio molhar os pés, mas me ignorou. Fui eu que a cumprimentei, e ela respondeu de má vontade.

A certa altura da manhã, vi que Tonino, Elena e Nina estavam tomando sorvete sentados no bar do quiosque. Passei ao lado deles para ir ao balcão pedir um café, mas os dois pareciam nem me enxergar, ocupados demais com a menina. Todavia, quando fui pagar, o gerente me disse que eu não devia nada: Tonino havia feito um sinal para que pusesse na sua conta. Eu queria agradecer, mas eles já tinham deixado o bar, estavam com Elena na orla, dando pouca atenção à pequena, pois agora discutiam.

Quanto a Gino, era só eu desviar um pouquinho o olhar de vez em quando para surpreendê-lo vigiando-os à distância enquanto fingia estudar. A praia foi ficando cada vez mais cheia, Nina se misturou aos banhistas, mas o rapaz abandonou por completo o livro e começou a usar seu binóculo, como se temesse um maremoto repentino. Eu não pensava no que ele via com seus olhos potencializados pelas lentes, mas no que ele imaginava: o começo da tarde quente, quando aquela grande família napolitana se retirava da praia, como de costume; o leito conjugal na penumbra; Nina enroscada no corpo do marido, os suores.

A jovem mãe retornou à praia por volta das cinco da tarde, alegre, o marido ao seu lado com Elena no colo, e Gino a encarou desolado, depois escondeu o olhar no livro. Vez por outra, se virava na minha direção, mas logo desviava o olhar. Nós dois esperávamos a mesma coisa: que o fim de semana passasse logo, a praia voltasse à tranquilidade, o marido de Nina partisse e ela conseguisse novamente estabelecer contato conosco.

À noite, fui ao cinema, vi um filme qualquer em uma sala quase vazia. Já com as luzes apagadas, quando o filme estava começando, um grupo de rapazes entrou. Comiam pipoca ruidosamente, riam, insultavam-se, testavam os toques dos celulares, gritavam obscenidades para as sombras das atrizes na tela. Não tolero ser incomodada quando estou assistindo a um filme, mesmo que seja um filme ruim. Primeiro soltei uns chiados autoritários, depois, já que eles não paravam, virei-me e disse que, se não parassem, eu chamaria o lanterninha. Eram os garotos da família napolitana. Chame o lanterninha, disseram, zombando de mim, talvez nunca tivessem ouvido aquela palavra usada daquela maneira. Um gritou para mim em dialeto: chama, sua vaca, chama o meu pau. Levantei-me e fui à bilheteria. Expliquei a situação a um homem careca que parecia preguiçoso porém gentil. Ele me tranquilizou dizendo que daria um jeito, então voltei à sala entre as risadinhas dos rapazes. O homem chegou logo em seguida, afastou a cortina e entrou na sala. Silêncio. Ficou ali por alguns minutos e, depois, se retirou. Logo recomeçou a algazarra, os outros espectadores não se manifestavam. Levantei-me e gritei, um pouco histericamente: vou sair e chamar a polícia. Começaram a cantar em falsete: viva, viva/a polícia. Fui embora.

No dia seguinte, sábado, a gangue estava na praia, parecia esperar que eu chegasse. Soltavam risinhos debochados, apontavam para mim, vi que alguns olhavam em minha direção, cochichando com Rosaria. Pensei em me dirigir ao marido de Nina, mas me envergonhei daquela ideia, senti que havia entrado por um instante na lógica do grupo. Por volta das duas horas, exasperada por causa da multidão e da música alta que vinha do quiosque, recolhi minhas coisas e fui embora.

O pinheiral estava deserto, mas logo senti que estava sendo seguida. Voltou bruscamente a lembrança da pinha que havia acertado as minhas costas, e apertei o passo. O ruído atrás de mim continuou, fui tomada pelo pânico e comecei a correr. Ficavam mais altos os barulhos, as vozes, as risadas sufocadas. O canto das cigarras e o cheiro da resina quente não me agradavam mais, pareciam um complemento à ansiedade. Desacelerei, não porque o medo estivesse passando, mas por dignidade.

Em casa, passei mal, comecei a suar frio, depois fiquei com calor, como se estivesse sufocando. Deitei-me no sofá e me acalmei aos poucos. Tentei me recompor, varri a casa. A boneca havia ficado nua, de cabeça para baixo na pia do banheiro, e eu a vesti novamente. Não saía mais água da sua barriga, imaginei seu ventre como um fosso seco. Arrumar, entender. Pensei em como um ato obscuro gera outros, cada vez mais obscuros, então o problema é interromper a cadeia. Elena ficaria contente em reaver sua boneca, disse a mim mesma. Ou não, uma criança nunca quer somente aquilo que pede; pelo contrário, um pedido satisfeito torna ainda mais insuportável a falta não confessada.

Tomei banho e me olhei no espelho enquanto me enxugava. A impressão que eu tinha de mim naqueles meses mudara abruptamente. Não me achei rejuvenescida, mas envelhecida, magra demais, um corpo tão seco a ponto de parecer sem espessura, pelos brancos em meio aos negros em meu sexo.

Saí e fui à farmácia me pesar. A balança imprimiu em uma folha o peso e a altura. Eu estava seis centímetros menor e abaixo do peso. Tentei mais uma vez e a altura diminuiu ainda mais, o peso também. Fui embora desorientada. Entre as minhas fantasias mais temidas, estava a ideia de que eu podia encolher, voltar a ser adolescente, criança, ser condenada a reviver aquelas fases da minha vida. Eu só havia começado a gostar de mim depois dos dezoito anos, quando deixei minha família, minha cidade, para estudar em Florença.

Passeei à beira-mar até a noite, beliscando coco fresco, amêndoas torradas e avelãs. As lojas estavam iluminadas, os jovens bronzeados esticavam nas calçadas a vastidão de suas mercadorias, um engolidor de fogo começou a cuspir longas chamas, um palhaço que amarrava balões coloridos reproduzindo formas animais atraiu um grande público de criancinhas, cresceu a multidão do sábado à noite. Descobri que haveria um baile na praça e esperei que começasse.

Gosto de bailes, gosto de olhar as pessoas dançando. A orquestra iniciou com um tango. Aventuraram-se sobretudo casais de idosos, e dançavam bem. Reconheci entre os bailarinos Giovanni, que reproduzia passos com uma figura de sisuda tensão. O público aumentou, o círculo em volta da praça ficou maior. Os casais de dançarinos também se multiplicaram, a habilidade diminuiu. Àquela altura, dançavam pessoas de todas as idades, netos gentis com suas avós, pais com filhas de dez anos, mulheres idosas com mulheres idosas, crianças com crianças, turistas e locais. De repente, deparei-me com Giovanni à minha frente, convidando-me para dançar.

Deixei a bolsa com uma senhora que ele conhecia, e dançamos, acho que uma valsa. A partir daí não paramos mais. Ele falou do calor, do céu estrelado, da lua cheia e de como eram abundantes os mexilhões naquele período. Fui me sentindo cada vez melhor. Ele estava suado, tenso, mas continuava a me convidar para dançar, comportava-se realmente com gentileza, e eu aceitava, estava me divertindo muito. Ele só me deixou, desculpando-se, quando a certa altura apareceu na multidão, na extremidade da praça, a família napolitana.

Fui pegar a bolsa e o observei enquanto cumprimentava educadamente Nina, Rosaria e, por fim, com especial deferência, Tonino. Eu o vi fazer um carinho desajeitado em Elena, que, no colo da mãe, comia um algodão-doce duas vezes maior que o seu rosto. Quando os cumprimentos terminaram, Giovanni ficou ao lado deles, rígido, constrangido, sem dizer nada, mas como se estivesse orgulhoso de ser visto naquela companhia. Entendi que, para mim, a noite havia terminado, e me preparei para ir embora. Mas percebi que Nina estava dando a filha a Rosaria e agora obrigava o marido a dançar. Fiquei mais um pouco para vê-la.

Ela tinha uma harmonia de movimentos natural e agradável, até mesmo, e talvez sobretudo, nos braços daquele homem desajeitado. Senti alguém tocar no meu braço. Era Gino, que surgira como um animal de algum canto onde estava agachado. Perguntou se eu queria dançar, respondi que estava cansada, com muito calor, mas ao mesmo tempo senti dentro de mim uma alegria e uma leveza, então o peguei pela mão e dançamos.

Logo notei que ele me guiava na direção de Nina e do marido, queria que ela nos visse. Deixei-me levar, também não me desagradava a ideia de ser exibida nos braços do seu admirador. Mas, em meio à confusão de casais, alcançá-los revelou-se difícil, e nós dois desistimos tacitamente. Eu estava com a bolsa no ombro, mas paciência. Era agradável dançar com aquele rapaz magro, altíssimo, moreno, com os olhos brilhantes, os cabelos desalinhados e as palmas das mãos secas. Era muito diferente estar próxima dele e de Giovanni. Eu sentia a diferença dos corpos, dos cheiros, e a percebia como uma divisão no tempo: parecia que aquela noite, ali na praça, havia se partido, e eu, por magia, tinha acabado dançando em duas épocas diferentes da minha vida. Quando a música terminou, falei que estava cansada, e Gino quis me acompanhar. Deixamos para trás a praça, a orla, a música. Falamos da sua prova, da universidade. No portão, percebi que ele demorava a se despedir.

— Quer subir? — perguntei.

Ele fez que não, estava sem graça, e disse:

— Lindo o presente que você deu a Nina.

Irritou-me o fato de eles terem conseguido se ver e que ela tivesse até mostrado o alfinete de chapéu. Ele acrescentou:

— Ela ficou muito feliz com a sua gentileza.

Resmunguei um sim, fico feliz. Então ele disse:

— Queria lhe pedir uma coisa.

— O quê?

Ele não me olhou no rosto, encarou a parede atrás de mim.

— Nina quer saber se você está disposta a nos emprestar sua casa por algumas horas.

Fiquei incomodada, uma pontada de mau humor que envenenou minhas veias. Olhei fixamente para o rapaz tentando entender se ele estava escondendo atrás daquela enunciação um pedido que não era de Nina, mas nascido do seu próprio desejo. Respondi com rispidez:

— Diga a Nina que quero falar com ela.

— Quando?

— Assim que ela puder.

— O marido parte amanhã à noite, antes não é possível.

— Pode ser na segunda-feira de manhã.

Ele se calou, agora estava nervoso e não conseguia ir embora.

— Ficou com raiva?

— Não.

— Mas você fez uma cara feia.

Eu disse friamente:

— Gino, o homem que administra meu apartamento conhece Nina e está metido com o marido dela.

Ele fez uma careta de desprezo, um meio sorriso.
— Giovanni? Ele não é problema algum. Bastam dez euros e ele se cala.
Então eu disse com uma raiva que não consegui esconder:
— Por que vocês decidiram pedir isso logo para mim?
— Nina quis assim.

24

Demorei a pegar no sono. Pensei em ligar para as minhas filhas, elas estavam ali, em algum lugar da minha mente, mas eu sempre as perdia em meio à confusão daqueles dias. Também daquela vez, acabei desistindo. Elas iriam me passar uma lista de todas as coisas de que precisavam, suspirei. Marta diria que me dei o trabalho de mandar as anotações para Bianca, mas que esqueci algo — não sei o quê, sempre tem alguma coisa — que ela havia me pedido. É assim desde que elas eram pequenas, vivem suspeitando que eu me dedico mais a uma do que à outra. Antigamente eram brinquedos, doces, até a quantidade de beijos que eu distribuía. Depois começaram a discutir por causa de roupas, sapatos, motocicletas, automóveis — em suma, dinheiro. Agora preciso tomar cuidado para dar a uma exatamente o mesmo que dou à outra, porque cada uma delas, rancorosa, mantém uma contabilidade secreta. Desde pequenas ouviram que meu afeto é fugaz e, por isso, o avaliam com base nos serviços concretos que presto, nos bens que distribuo. Às vezes acho que hoje elas só me veem como uma herança material que precisarão disputar após a minha morte. Não querem que, com o dinheiro, com os nossos poucos bens, aconteça a mesma coisa que, segundo elas, aconteceu com a transmissão dos traços do meu corpo. Não, eu não estava com vontade de escutar as lamúrias delas. Por que elas não me ligam? Se o telefone não toca, elas obviamente não têm pedidos urgentes. Eu continuava a me revirar na cama, o sono não vinha, e eu sentia raiva.

De qualquer maneira, atender os pedidos das filhas é algo que se aceita. No fim da adolescência, Bianca e Marta, com turnos brutalmente distribuídos entre elas, me pediram centenas de vezes para deixar o apartamento livre. Tinham os próprios acordos sexuais, e eu sempre fui condescendente. Eu pensava: melhor em casa do que no carro, em uma rua escura, em um gramado, em meio a mil incômodos, expostas a tantos riscos. Assim eu ia melancolicamente à biblioteca ou ao cinema, ou então dormir na casa de uma amiga. Mas Nina? Nina era uma imagem em uma praia em agosto, um cruzamento de olhares e algumas palavras, a vítima em último grau — ela e a filha — de um gesto imprudente da minha parte. Por que eu deveria liberar a casa para ela, como isso fora passar-lhe pela cabeça?

Levantei-me, perambulei pelo apartamento, fui até o terraço. A noite ainda estava ecoando os sons da festa. De repente senti, com nitidez, o fio estendido entre aquela garota e mim: mal nos conhecíamos, porém o vínculo se fortalecia.

Talvez ela quisesse que eu negasse as chaves, assim poderia negar a si mesma uma perigosa válvula de escape para a sua inquietação. Ou talvez quisesse que eu lhe entregasse as chaves, dessa forma sentiria naquele gesto a permissão para tentar uma arriscada fuga, a estrada para um futuro diferente do que já fora escrito para ela. De qualquer maneira, Nina desejava que eu pusesse a seu serviço a experiência, a sabedoria, a força rebelde que, em sua imaginação, ela atribuía a mim. Exigia que eu cuidasse dela, que a acompanhasse passo a passo e apoiasse as escolhas que, entregando ou não as chaves, eu a estaria impelindo a fazer. Pareceu-me, quando o mar e o vilarejo voltaram a ficar silenciosos, que o problema não era o pedido de algumas horas de amor com Gino na minha casa, mas a sua entrega a mim, para que eu me ocupasse da sua vida. O farol lançava no terraço, a intervalos fixos, uma luz insuportável, por isso levantei-me e entrei em casa.

Comi algumas uvas na cozinha. Nani estava em cima da mesa. Pareceu-me que estava com um ar de limpa e nova, mas também com uma expressão indecifrável, *tohu-bohu*, sem a luz de uma ordem clara, de uma verdade. Quando foi que Nina me escolheu lá na praia? Como entrei na sua vida? Aos trancos, sem dúvida, caoticamente. Atribuíra a ela um papel de mãe perfeita, de filha bem-sucedida, mas compliquei sua existência subtraindo a boneca de Elena. Dei a impressão de ser uma mulher livre, independente, refinada, corajosa, sem partes ocultas, mas construí as respostas às suas perguntas aflitas como exercícios de reticência. Com que direito, por quê? Nossas afinidades eram superficiais, ela corria riscos muito maiores do que os que eu havia corrido vinte anos antes.

Quando jovem, eu tinha uma forte percepção de mim mesma, era ambiciosa, separei-me da minha família de origem com a mesma força ousada com que nos libertamos de alguém que nos dá um puxão. Deixei meu marido e minhas filhas em um momento no qual tinha certeza de ter aquele direito, de estar do lado certo, sem contar que Gianni se desesperara, mas não fora atrás de mim, era um homem atento às necessidades dos outros. Nos três anos sem minhas filhas, nunca fiquei sozinha: havia Hardy, um homem de prestígio, ele me amava. Eu me sentia apoiada por um pequeno mundo de amigas e amigos que, mesmo quando discordavam de minhas escolhas, respiravam a mesma cultura que eu, entendiam minhas ambições e meu mal-estar. Quando o peso no fundo do ventre se tornou insustentável e voltei para Bianca e Marta, algumas pessoas haviam se retirado em silêncio da minha vida, algumas portas tinham se fechado para sempre, meu ex-marido decidira que era sua vez de fugir e foi embora para o Canadá, mas ninguém me expulsou nem me julgou indigna. Nina, por sua vez, não tinha nenhuma das defesas que eu ergui antes da ruptura. E, nesse meio-tempo, o mundo não havia melhorado nem um pouco; pelo contrário, tornara-se mais cruel com as mulheres. Ela — em suas próprias palavras —, por muito menos do que eu tinha feito anos antes, corria o risco de ser degolada.

 Levei a boneca para o quarto. Dei-lhe um travesseiro para se recostar, ajeitei-a na cama como antigamente era costume fazer em algumas casas do sul, sentada, com os braços abertos, e me deitei ao seu lado. Pensei novamente em Brenda, a moça inglesa com quem eu estivera por poucas horas na Calábria, e percebi de repente que o papel para o qual Nina me empurrava era o mesmo que eu havia atribuído a ela. Brenda apareceu na estrada para Reggio Calabria, e eu lhe conferi a potência que eu mesma gostaria de ter. Talvez ela tenha percebido e, à distância, com um gesto mínimo, me ajudou, deixando-me em seguida a responsabilidade pela minha vida. Eu podia fazer a mesma coisa. Apaguei a luz.

Acordei tarde, comi algo, decidi não ir à praia. Era domingo, e o domingo anterior tinha me deixado uma péssima lembrança. Acomodei-me no terraço com meus livros e cadernos.

Eu estava bastante satisfeita com o trabalho que vinha fazendo. Minha vida acadêmica nunca fora fácil, mas, nos últimos tempos — certamente por culpa minha, pois com os anos meu temperamento piorou, eu me tornei obstinada, às vezes irascível —, as coisas para mim haviam se complicado ainda mais, era urgente que eu voltasse a estudar com rigor. As horas voaram sem distrações. Trabalhei até quando houve luz, incomodada apenas pelo calor úmido e algumas vespas.

Enquanto eu assistia a um filme na TV, quase meia-noite, o celular tocou. Reconheci o número de Nina e atendi. Ela me perguntou de um fôlego se podia ir à minha casa no dia seguinte, às dez da manhã. Dei o endereço, desliguei a televisão e fui para a cama.

No dia seguinte, saí cedo para procurar alguém que me fizesse uma cópia das chaves. Voltei para casa faltando cinco minutos para as dez, o celular tocou enquanto eu ainda estava na escada. Nina disse que às dez era impossível vir e esperava poder passar na minha casa por volta das seis da tarde.

Ela já decidiu, pensei, não virá. Preparei a bolsa para ir à praia, mas depois desisti. Não estava a fim de ver Gino, e os meninos mimados e violentos dos napolitanos me incomodavam. Tomei um banho, pus um biquíni e me deitei ao sol no terraço.

O dia passou lentamente entre banhos, sol, frutas e estudo. De vez em quando, eu pensava em Nina, olhava o relógio. Ao exigir sua presença, dificultei tudo. No início, ela devia ter contado com o fato de que eu fosse dar as chaves de casa para Gino e combinar com ele o dia e o horário em que eu deveria ficar fora do apartamento. Mas, a partir do momento em que pedi para falar diretamente com ela, Nina começou a vacilar. Imaginei que ela não quisesse pedir minha cumplicidade pessoalmente.

Porém, às cinco, enquanto eu ainda estava de biquíni, tomando sol, com os cabelos molhados, o interfone tocou. Era ela. Abri e esperei na soleira que ela subisse. Ela apareceu com o chapéu novo, ofegante. Eu disse entre, estava no terraço, vou me vestir e já volto. Ela fez que não com a cabeça, energicamente. Havia deixado Elena com Rosaria com a desculpa de que precisava comprar um remédio na farmácia para desentupir o nariz da menina. Ela está respirando mal, falou, vive na água e pegou um resfriado. Eu a achei muito agitada.

— Sente-se um pouco.

Nina tirou o alfinete do chapéu, pôs os dois objetos sobre a mesa da sala, e eu pensei, olhando o âmbar negro, a longa ponta reluzente, que ela estava com o chapéu só para me mostrar que usava meu presente.

— É bonito aqui — disse.

— Você quer mesmo as chaves?

— Se você concordar.

Sentamos no sofá. Falei que estava surpresa, lembrei com doçura que ela havia afirmado que estava bem com o marido, e que Gino era apenas uma brincadeira. Ela confirmou tudo, incomodada. Eu sorri.

— E então?

— Não aguento mais.

Procurei seu olhar, ela não recuou, respondi que tudo bem. Peguei as chaves na bolsa, coloquei-as em cima da mesa, ao lado do alfinete e do chapéu.

Ela olhou para as chaves, mas não me pareceu feliz. Então perguntou:

— O que você acha de mim?

Falei no mesmo tom que geralmente uso com meus alunos.

— Acho que assim você vai acabar mal. Precisa voltar a estudar, Nina, se formar e achar um trabalho.

Ela fez uma careta de decepção.

— Não sei nada e não valho nada. Fiquei grávida, pari uma filha e não sei nem mesmo como sou por dentro. A única coisa que quero de verdade é fugir.

Suspirei.

— Faça o que você tem vontade de fazer.

— Você vai me ajudar?

— Estou ajudando.
— Onde você mora?
— Em Florença.
Ela riu do jeito de sempre, nervosa.
— Vou visitar você.
— Vou deixar meu endereço.
Nina fez menção de pegar as chaves, mas eu me levantei e disse:
— Espere, preciso dar outra coisa para você.
Ela me olhou com um sorriso hesitante, deve ter achado que se tratava de outro presente. Fui até o quarto e peguei Nani. Quando voltei, ela estava brincando com as chaves, tinha um meio sorriso nos lábios. Levantou o olhar, o sorriso sumiu. Então falou com um sussurro estupefato:
— Você a pegou.
Confirmei, e ela se levantou de um pulo, deixando as chaves na mesa como se a tivessem queimado, e murmurou:
— Por quê?
— Não sei.
Ela levantou a voz de repente:
— Você lê e escreve o dia inteiro e não sabe?
— Não.
Ela balançou a cabeça, incrédula, a voz voltou a ficar baixa.
— Estava com você. Você a guardou enquanto eu não tinha mais ideia do que fazer. Minha filha chorava, me enlouquecendo, e você, calada, nos observava, mas não se mexeu, não fez nada.
— Sou uma mãe desnaturada — respondi.
Ela concordou, exclamou sim, você é uma mãe desnaturada, e tirou a boneca das minhas mãos com um gesto feroz de reapropriação. Gritou para si mesma em dialeto: preciso ir embora.

E gritou para mim em italiano: não quero mais ver você, não quero nada de você, e foi em direção à porta.

Fiz um gesto amplo com os braços e disse:

— Pegue as chaves, Nina. Vou embora esta noite, a casa vai ficar vazia até o fim do mês. — Voltei-me para a janela, não suportava vê-la tão enfurecida. — Sinto muito — murmurei.

Não ouvi a porta se fechar. Por um instante, achei que ela tivesse decidido pegar as chaves, mas depois senti sua presença atrás de mim, sibilando em dialeto insultos terríveis como os que minha avó e minha mãe costumavam proferir. Fiz menção de me virar, mas senti uma pontada do lado esquerdo, fugaz como uma queimadura. Abaixei o olhar e vi a ponta do alfinete que saía pela minha pele, em cima da barriga, bem embaixo das costelas. A ponta apareceu apenas por uma fração de segundo, o tempo que durou a voz de Nina, sua respiração quente, depois desapareceu. A garota jogou o alfinete no chão, não pegou o chapéu, mas agarrou as chaves. Fugiu com a boneca, fechando a porta atrás de si.

Apoiei um braço na janela, olhei a lateral do meu corpo, a pequena gota de sangue imóvel sobre a pele. Senti um pouco de frio e tive medo. Esperei que acontecesse alguma coisa comigo, mas nada aconteceu. A gota escureceu, coagulou, e a impressão do doloroso fio de fogo que havia me atravessado esmoreceu.

Fui me sentar no sofá com cuidado. Talvez o alfinete tivesse me perfurado como uma espada perfura o corpo de um asceta sufista, sem causar danos. Olhei para o chapéu em cima da mesa, a crosta de sangue em minha pele. Anoiteceu, levantei-me e acendi a luz. Comecei a arrumar a bagagem, mas me movimentando lentamente, como se estivesse com uma doença grave. Quando as malas estavam prontas, me vesti, calcei as sandálias, ajeitei os cabelos. Naquele momento, tocou o celular. Vi o nome de Marta, senti uma grande satisfação e atendi. Ela e Bianca, em uníssono, como se tivessem preparado a frase e a recitassem acentuando meu sotaque napolitano, gritaram alegremente no meu ouvido.

— Mamãe, o que você anda fazendo, não liga mais para a gente? Pode pelo menos nos dizer se está viva ou morta?

Murmurei, comovida:

— Estou morta, mas bem.

intrinseca.com.br

@intrinseca

editoraintrinseca

@intrinseca

@editoraintrinseca

intrinsecaeditora

1ª edição	OUTUBRO DE 2016
reimpressão	SETEMBRO DE 2024
impressão	SANTA MARTA
papel de miolo	HYLTE 60 G/M²
papel de capa	CARTÃO SUPREMO ALTA ALVURA 250 G/M²
tipografia	ELECTRA